SYNDROME 5

SYNDROME **S**

COMMENT ÉVITER, GÉRER ET NEUTRALISER LES EFFETS NÉGATIFS DU **STRESS** SUR LA SANTÉ

Daniel Crisafi, ND, PhD

CHAT INC

Publié aux États-Unis par CHAT Inc.

Programme de catalogage avant publication
de la Bibliothèque du Congrès

Crisafi, Daniel
Syndrome S / Daniel Crisafi
Avec références bibliographiques et index.
1. Santé 2. Mieux-être 3. Stress 4. Nutrition 5. Crisafi, Daniel 6. Titre

Livre de poche ISSN: 978-0-9914620-2-5

Imprimé au Canada

Dédicace

———

J'aimerais dédier ce livre à la seule personne qui a eu un
effet positif déterminant sur tous les aspects de ma vie, soit
professionnelle, paternelle, émotionnelle et, oui, sentimentale.
À Suzie Rousseau, mon épouse.

Per sempre tuo.

Veuillez noter

Les renseignements contenus dans cet ouvrage sont destinés à des fins éducatives uniquement. Ils ne doivent pas être considérés comme des recommandations pour diagnostiquer ou pour traiter une maladie. Toute question de santé doit être supervisée par un praticien de soins de santé qualifié. Vous ne devez jamais tenter de réduire la posologie de vos médicaments d'ordonnance sans d'abord consulter votre médecin. Vous devez également informer votre médecin de tout supplément alimentaire que vous prenez. L'éditeur et l'auteur ne sont aucunement responsables des personnes qui choisissent de s'auto-diagnostiquer, de s'auto-traiter, ou d'utiliser les renseignements contenus dans ce livre sans consulter leur propre praticien de soins de santé.

Table des matières

Remerciements

CE LIVRE EST LE FRUIT de près de trois décennies de réflexion sur l'impact du stress sur la santé humaine. Ces trente dernières années ont été influencées par une diversité de personnes et d'expériences. Et comme je ne peux nommer tous ceux et celles qui ont contribué grandement au développement de mes pensées professionnelles, de même que personnelles, je tiens tout de même à remercier certaines d'entre elles qui ont été au cœur de la rédaction de ce livre. Si vous êtes une de ces personnes indispensables qui ne sont pas mentionnées, je vous prie d'accepter mes excuses sincères.

La connaissance, si elle est peut être de quelque utilité, doit être pratique, et non pas seulement théorique. Bien sûr, l'élaboration de ce livre a débuté il y a près de 30 ans alors que je travaillais chaque jour avec des patients. À chacun de mes patients, je tiens à offrir mes sincères remerciements. En effet, j'ai appris plus de vous que de tout cours ou séminaire que j'ai suivi, ou livre que j'ai lu.

Mes amis et collègues de l'industrie de la santé naturelle, répartis à travers les Amériques, ainsi qu'en Europe, en Asie et en Océanie, ont toujours été une source d'information, de motivation, et de croissance intellectuelle. Vous méritez réellement d'être reconnus.

Ce livre n'aurait pas vu le jour sans les encouragements de plusieurs personnes, y compris Matthew James, président de Purity Life Health Products, et de Albert Dahbour, vice-président de

Wakunaga d'Amérique. Merci, Matthew, de vos vingt ans d'amitié et d'appui professionnel. La conversation que nous avons eue lors d'un souper, en compagnie de votre charmante épouse Julie et de ma belle blonde Suzie, a joué un rôle prépondérant dans ma décision à écrire ce livre. Albert, merci pour les merveilleux produits que votre compagnie fabrique, surtout l'Extrait d'ail vieilli[MC]. Je suis reconnaissant aussi envers Wakunaga pour avoir investi tout le temps et les sommes nécessaires dans des recherches scientifiques approfondies et fiables. Et, bien sûr, je vous remercie de votre amitié et de votre appui.

Karolyn Gazella, auteure et éditrice accomplie, s'est avérée être à la fois patiente et d'un grand soutien et tout au long de la rédaction de ce livre. Je te remercie. Je tiens également à reconnaître le soutien éditorial exceptionnel de Miriam Weidner et de Deirdre Shevlin Bell.

Je manquerais à mon devoir si je ne mentionnais pas notre équipe pH Santé Beauté: Nancy, Bessie, et Pauline. Bessie et Pauline, surtout, ont su jongler mon horaire avec brio afin que je puisse terminer ce livre dans les délais prescrits (ou presque).

Enfin, Suzie, ma bien-aimée, ainsi que mes quatre enfants, Geneviève, Jonathan, David et Philippe: je vous présente toute ma gratitude pour votre patience dans les moments où j'avais besoin d'étudier et de travailler, parfois au prix de passer plus de temps avec vous. Suzie, je te suis éternellement reconnaissant du soutien inconditionnel et indéfectible que tu m'as donné, à la fois moralement et intellectuellement. Merci d'être là pour moi.

Avant-propos

L'IMPACT NÉGATIF DU STRESS est réel, omniprésent, et souvent catastrophique. Malheureusement et trop souvent, les effets biochimiques et physiologiques du stress sont ignorés. Bien que nous puissions observer et ressentir personnellement les répercussions du stress au jour le jour, nous nous attardons rarement aux effets cumulatifs du stress. Le stress peut causer des ravages sur de nombreux systèmes biologiques, notamment les systèmes gastro-intestinal, psychologique, cardiovasculaire, hormonal, immunitaire, comportemental et énergétique.

Partons du principe où tout effet a une cause... ceci est le fondement de la science. Si vous éprouvez un trouble de santé aujourd'hui et que vous ne l'aviez pas l'année dernière, c'est qu'il y a une raison. Les modifications dans l'alimentation ou dans les niveaux d'exercice peuvent parfois expliquer les symptômes de santé, mais ces derniers ne sont pas toujours une explication des changements physiologiques. Il en est de même du vieillissement.

Ce livre aborde le rôle majeur du stress dans une variété de troubles de la santé. Cependant, il ne s'agit pas d'examiner la terminologie commune et imprécise de l'expression «se sentir stressé». Et il ne s'agit pas non plus de stress psychologique, car on a déjà beaucoup écrit sur le sujet et peut-être même trop. Il s'agit plutôt de la façon dont les éléments stresseurs affectent le fonctionnement du corps, ce sont les effets physiologiques du stress.

Je ne nie pas les aspects spirituels et psychologiques importants reliés au stress, au contraire. Cependant, ce livre se concentre sur les aspects biochimiques et physiologiques du stress. Cette subtilité a été fortement négligée dans la littérature thématique de la santé sur le stress. Je veux me concentrer sur ces aspects physiques, car bon nombre de mes patients, bien qu'ils soient équilibrés psychologiquement et spirituellement, subissent quand même les effets du stress. Le stress n'est pas seulement «dans la tête» ou une «affaire de cœur»!

La notion de «*stress*» a été introduite en 1936 par Hans Selye, MD, endocrinologue et candidat au Prix Nobel. Il définit le stress comme étant «la réponse non spécifique de l'organisme à toute demande de changement». Chaque fois que le corps fait face à un changement, il subit un stress. La réaction à ce stress, connue sous l'expression «réaction de lutte ou de fuite», est une réaction interne conçue pour assurer notre survie. Face au danger, les humains éprouvent une chaîne complexe de transformations biologiques qui les mettent instinctivement sur un pied d'alerte. Tout commence au niveau de l'hypothalamus, une petite grappe de cellules localisée à la base du cerveau, qui contrôle toutes les fonctions automatiques du corps. L'hypothalamus incite les neurones à libérer la noradrénaline, une hormone qui tend les muscles et aiguise les sens. Au même moment, les glandes surrénales libèrent l'épinéphrine, mieux connue sous le nom d'»adrénaline», qui fait pomper le coeur plus rapidement et travailler les poumons plus forts afin d'inonder le corps d'oxygène. Elles libèrent aussi l'hormone cortisol, qui aide le corps à convertir le sucre en énergie. Une fois la menace passée, la partie parasympathique du système nerveux autonome prend le relais, afin de permettre au corps de revenir à la normale.

Mais, contrairement à nos ancêtres qui n'affrontaient qu'à l'occasion un tigre des cavernes ou un ennemi armé d'un gourdin, nous sommes souvent soumis à plus de 50 éléments stressants chaque jour. Et pourtant, notre corps est incapable de faire la distinction entre des événements mettant notre vie en péril tel un incendie, et la frustration d'être pris dans un embouteillage. Ajoutez à cela un courant sous-jacent de soucis qui sont hors de notre contrôle, et nous obtenons rarement un répit du stress.

Le problème est que les effets du stress vont au-delà de notre bien-être mental seulement. Le stress peut augmenter la tension artérielle, le taux de glycémie, et les fringales de sucre. Au fil du temps, il peut élever le mauvais cholestérol et réduire la capacité du corps à se détoxiquer, à digérer les aliments, et à bien dormir. Des taux constamment élevés d'hormones de stress peuvent également diminuer la formation osseuse, modifier le seuil de la douleur, et nuire à la guérison des plaies et au bon fonctionnement des intestins et des organes de reproduction.

Fait intéressant, le Dr Selye a démontré que, quel que soit le stress, bon ou mauvais, le corps réagit de façon très similaire dans les deux cas. Il a également prouvé que les stress physiques et psychologiques causent tous deux de réels symptômes physiques en perturbant la façon dont notre système nerveux et nos glandes endocrines réagissent. On ne peut pas éliminer (et il ne faut pas non plus) tous les facteurs de stress, et d'autres ne peuvent être éliminés que graduellement. Mais nous pouvons trouver des moyens d'aider le corps à affronter le stress plus efficacement. Ces moyens permettront de minimiser les dommages que cause le stress sur notre corps et dans notre vie. En étant plus sensibilisés et informés, nous pouvons aider à minimiser le prix que paie notre corps durant les périodes de stress.

«Ce n'est pas le stress qui nous tue, mais plutôt notre réac-
tion au stress.»

—*Hans Selye*

POUR LE MÉDECIN

Ce livre est destiné aux consommateurs, et non aux professionnels de soins de santé. Cela étant dit, les professionnels de soins de santé peuvent certainement bénéficier de l'information contenue dans le présent document. J'ai intentionnellement utilisé un langage de tous les jours afin que tous les intéressés aient accès à l'information. Bien que je n'utilise pas de jargon scientifique, ce livre est basé sur des faits scientifiques fiables et éprouvés.

Pour les médecins qui feront la lecture de ce livre: si ce que vous lisez semble contredire ce que vous avez appris à la faculté de médecine, je vous invite à examiner la citation suivante par le lauréat du Prix Nobel, Max Planck. Songez également à vos patients qui souffrent des effets physiologiques du stress, et à certains d'entre eux qui sont poussés au désespoir à cause des répercussions sur leur qualité de vie. N'oubliez pas que ce n'est pas «tout dans la tête»!

«La vérité scientifique ne triomphe pas en persuadant ses
adversaires et en les aidant à y voir clair, mais plutôt
parce que ses adversaires finissent par mourir et qu'il
s'ensuit une nouvelle génération qui la connait bien.»

—*Max Planck*

Introduction

IL NE S'AGIT PAS DE MOI dans ce livre. Il s'agit de ceux qui voient leur vie, ou celle de leurs proches, de leurs collègues ou de leurs amis, touchée négativement par le stress. En tant que naturopathe agréé, j'ai pu constater jusqu'à quel point le stress peut avoir un impact sur la santé et sur le bien-être des patients qui viennent me consulter.

Toutefois, cette réalisation a pris de nombreuses années à se concrétiser. Au départ, j'ai commencé ma carrière universitaire en étudiant la philosophie et la théologie, deux disciplines qui captent encore mon intérêt jusqu'à ce jour. J'ai été entraîneur personnel et pratiqué le judo compétitif au niveau national. J'avais l'impression que ma vie était sur la bonne voie, et le stress était le moindre de mes soucis. Mais ensuite, je me suis trouvé aux prises avec un grave problème de santé qui m'a obligé à changer mes habitudes et à réaliser que je devais également réorienter ma carrière. Je me suis tourné vers les approches naturelles, une alimentation saine, ainsi que les suppléments pour gérer ma santé. Alors que mon état s'améliorait, j'ai commencé à m'intéresser au mieux-être naturel, ce qui m'a mené à l'obtention d'un diplôme de maître herboriste de même qu'un doctorat en nutrition avec spécialisation en biochimie de la nutrition.

En plus d'établir un cabinet privé actif à Montréal, j'ai beaucoup voyagé aux États-Unis et au Canada, ainsi qu'au Royaume-

Uni, au Portugal, en Espagne, en Malaisie et en Nouvelle-Zélande, à titre de conférencier. J'ai aussi écrit des livres («*The Probiotic Approach*», «*Candida Albicans*», «*La Phytothérapie*», «*Herbalism*», et «*Les Superaliments*» avec Sam Graci), j'ai contribué un chapitre au livre de Brad King et de Dr Michael Schmidt, intitulé «*Bio-Age: 10 Steps to a Younger You*». Je suis aussi l'auteur de plusieurs fascicules traitant d'états spécifiques de santé pour la revue «*Better Nutrition*», y compris «*Le syndrome métabolique*» et «*La pression artérielle*». Et pourtant, l'importance qu'avait le stress sur la santé globale m'échappait toujours.

Ce n'est que lorsque moi et mon épouse Suzie, une esthéticienne qui croyait que les problèmes de peau ne se limitaient pas seulement en surface, avons ouvert une clinique de soins naturopathiques et esthétiques que j'ai commencé à réaliser pleinement à quel point le stress pouvait avoir un effet négatif sur le corps et l'esprit. Au fil des années, je constatais qu'un grand pourcentage des patients qui entraient dans notre Clinique pH Santé Beauté avait des symptômes qui se développaient suite à des périodes soit de stress intense aigu ou de stress chronique. Je me suis aussi rendu compte qu'il n'existait rien à ce moment pour les aider à comprendre les effets dommageables du stress, puis à les éliminer.

Dans le chapitre qui suit, je vais partager des histoires réelles de patients aux prises avec une variété de symptômes de santé. Alors que leurs cas étaient tous uniques, ils avaient tout de même une chose en commun: ils souffraient tous des effets physiologiques négatifs du stress. J'appelle cette collection d'effets le «Syndrome S». À la lecture de ce livre, vous verrez que les symptômes du Syndrome S varient en fonction du patient et de sa propre situation. Toutefois, tous ces patients présentent des symptômes que nous pouvons tous éprouver compte tenu des circonstances et des modes de vie.

CHAPITRE 1

Le stress dissimulé et le Syndrome S

PENDANT LA PLUS GRANDE PARTIE de sa vie adulte, Cathy représentait relativement bien la femme typique d'aujourd'hui. Professionnelle et d'âge moyen, elle menait une carrière enrichissante et avait une vie familiale heureuse, ce qui comptait le plus pour elle. Cathy semblait être l'épouse, la mère, et la femme de carrière parfaite. Elle était également en grande forme physique et même une très bonne athlète de fin de semaine. Les amis de Cathy la surnommaient la «superfemme», car elle excellait sans même en donner l'impression.

Lorsque j'ai rencontré Cathy à ma clinique pour la première fois, j'ai observé une personne qui était loin d'être la superfemme des quelques années auparavant. Cathy m'a fait part un peu de sa santé déclinante depuis les dernières années, mais elle parlait surtout de ce qui la préoccupait le plus: l'insomnie et un diagnostic d'intestin irritable.

Ses troubles de sommeil avaient commencé progressivement et sournoisement. Lors de sa première visite, Cathy disait qu'elle s'endormait relativement bien à moins d'être en train de vivre un stress. Si elle se trouvait dans un état de stress, elle pouvait prendre jusqu'à une heure ou plus pour s'endormir. Et même quand elle ne se sentait pas «stressée», elle avait constaté que la qualité de son sommeil se détériorait graduellement.

Cathy se réveillait quelques fois chaque nuit, son cerveau bouillonnant de solutions et de problèmes réels ou perçus. Le sommeil était un gros problème, car elle réalisait que son énergie déclinait pendant la journée de même que sa capacité à dormir profondément. Sa concentration et sa mémoire étaient aussi atteintes de façon négative. Cathy était fatiguée physiquement et mentalement à cause du manque de sommeil de qualité.

Son problème d'intestin irritable avait également évolué progressivement. D'abord, Cathy souffrait de flatulences et de ballonnements, plus qu'auparavant, et sans avoir nécessairement mangé des aliments normalement reliés à des symptômes gastro-intestinaux. Au fil du temps, elle commençait à se sentir gonflée, peu importe ce qu'elle mangeait. En fait, elle se plaignait souvent d'avoir le sentiment d'être enceinte de trois mois à la fin de la journée. Ses niveaux de stress perturbaient également son activité intestinale; elle souffrait de constipation occasionnelle ainsi que de diarrhée ou de selles molles à répétition.

Le médecin de Cathy lui a référé un gastro-entérologue. Les tests médicaux de routine, y compris une colonoscopie, n'ont donné aucune indication d'anormalité. Finalement, Cathy a reçu un diagnostic d'intestin irritable. Maintenant, il est important de garder à l'esprit que l'intestin irritable est un diagnostic d'exclusion. Cela signifie que, lorsqu'un patient manifeste certains symptômes, tels que flatulences, ballonnements, diarrhée et/ou constipation, et qu'un médecin ne trouve rien d'anormal, il ou elle pose habituellement un diagnostic d'»intestin irritable».

En interrogeant Cathy sur les premiers facteurs déclencheurs précédant ses symptômes, j'ai découvert que la plupart étaient liés au stress. En l'espace de quelques années, elle en était arrivée, pour ainsi dire, à «la goutte qui fait déborder le vase». Elle avait assumé le rôle d'aidante pour sa mère mourante, avait appris l'infidélité de son mari avec une collègue, et devait gérer les difficultés émotionnelles de son fils adolescent. La superfemme était au bout de son rouleau.

Puisque les symptômes de Cathy semblaient avoir été déclenchés par une suite d'événements stressants, on lui avait dit que ses symptômes étaient liés au stress. Ils l'étaient sans aucun doute, mais la prescription n'était pas plus utile que la suggestion qu'on lui avait faite de «profiter de la vie» et d'affronter tout simplement des événements normaux qui font partie de la vie. Dans l'éventualité où elle était incapable de se ressaisir elle-même, son médecin allait lui recommander des somnifères ou des antidépresseurs.

Malheureusement, le cas de Cathy (et le traitement proposé) est très fréquent. J'ai vu des centaines de patients confrontés à des problèmes similaires, et je peux vous dire que les antidépresseurs ne sont pas la solution. Cathy vivait les effets physiologiques du Syndrome S.

LES SYMPTÔMES DISSIMULÉS DU STRESS

Gérard était un avocat dans la mi-quarantaine, qui semblait suffisamment en bonne santé lorsqu'il est venu à ma clinique. Il m'avait dit, «Je n'ai pas de problèmes de santé; je veux simplement perdre du poids». Son poids, qui avait été d'environ 170 livres pendant au moins les vingt dernières années, avait augmenté à 220 livres en trois ans. Jerry ne comprenait pas son gain de poids. Il n'avait pas vraiment changé son régime alimentaire ni son niveau d'activité au cours de cette période. Il ne comprenait pas comment son poids avait pu progressivement augmenter.

J'avais constaté que son gain de poids se situait surtout à la ceinture abdominale, ce qu'on appelle la graisse abdominale. Nous savions tous deux qu'il devait soit régler son problème de poids ou vivre avec un risque accru de maladie cardiaque.

Lorsque j'ai examiné les résultats de ses analyses de sang, j'ai remarqué que, bien que ses taux de cholestérol et de glycémie se situaient dans les limites normales, ceux-ci s'élevaient progressivement et continuellement. En effet, si la tendance se maintenait, Jerry recevrait bientôt un diagnostic de glycémie et de cholestérol élevés.

En poursuivant notre conversation, j'ai décelé plusieurs autres symptômes. Gérard disait que sa libido avait diminué récemment. Bien qu'il avait toujours trouvé son épouse très attrayante, son désir sexuel avait beaucoup diminué par rapport à ce qu'il était auparavant et avant qu'il commence à remarquer le gain de poids. Gérard utilisait également le terme de «obsédé» pour décrire qu'il était envahi par ses envies de sel. Il me disait que peu de choses lui apportaient autant de réconfort que de manger des bretzels ou des croustilles, surtout à la fin de sa journée de travail.

Lorsque je lui ai posé des questions sur son niveau de stress, Gérard a admis qu'il s'emportait plus facilement. «Il m'en faut de moins en moins pour «sauter une coche»,» a-t-il avoué. «Je vois rouge avec mes enfants, parfois pour rien». En outre, bien qu'il ait déclaré que les autres avocats n'avaient pas encore remarqué son comportement, Gérard avait plus de difficulté à affronter les opérations normales du cabinet.

Gérard avait remarqué que ses symptômes de comportement semblaient s'être développés suite à une séquence d'événements stressants: une plus grande charge de responsabilités professionnelles après sa promotion en tant qu'associé à part entière, un divorce et un remariage relativement rapide, de même que le stress financier lié à ces deux événements.

Bien que son médecin principal ne lui avait pas donné un diagnostic précis, il avait averti Gérard de son gain de poids et des effets secondaires potentiels à long terme, et à juste titre. La collection de symptômes de Gérard indiquait aussi un cas de syndrome S!

LE STRESS ET SES RAVAGES SUR LES HORMONES

Patricia travaillait comme commis chez un concessionnaire d'automobiles; c'était une femme dans la mi-trentaine. Une personne bien équilibrée, de bonne humeur, elle était capable de tolérer avec beaucoup de patience la façon désagréable que les représentants et les mécaniciens lui parlaient, ce qui n'était pas une tâche facile. Patricia était venue me consulter pour un problème très différent de celui de Cathy ou de Gérard. Patricia avait des troubles prémenstruels considérables, dont des migraines, de la rétention d'eau, des douleurs au niveau des seins, ainsi que de vives sautes d'humeur. Patricia avait également développé une hypothyroïdie, une maladie caractérisée par un dysfonctionnement de la glande thyroïde.

De plus, Patricia essayait de devenir enceinte, mais en vain. Bien que l'hypothyroïdie puisse causer des troubles de fertilité, ceux-ci avaient débuté pendant que les taux d'hormones de Patricia semblaient normaux. En temps normal, Patricia n'éprouvait pas de défis émotionnels sauf avant ses règles ou lorsqu'elle sautait un repas. Effectivement, certains de ses symptômes semblaient se déclencher ou s'aggraver par le besoin de manger. Si Patricia avait faim, mais ne pouvait pas manger immédiatement, souvent ses symptômes s'exacerbaient, plus particulièrement son «hyper-réactivité».

Son médecin croyait que certains de ses symptômes étaient le résultat de son incapacité à devenir enceinte. Bien que Patricia et son conjoint Michael vivaient une relation merveilleuse, leur inaptitude à concevoir était un obstacle majeur pour le bien-être du couple, mais ce n'était pas la vraie raison derrière les problèmes de Patricia. Ses difficultés physiologiques et émotives étaient inter-reliées, ayant comme résultat les effets du Syndrome S.

L'IMPACT DU STRESS PSYCHOLOGIQUE SUR LA PHYSIOLOGIE

Luc était un acteur très accompli, avec un bon sens de l'humour et une intelligence vive qui masquaient l'énorme stress avec lequel il avait lutté toute sa vie. Ce jeune homme, pour qui sa famille comp-tait par-dessus tout, avait été élevé avec beaucoup d'amour au sein d'une famille conservatrice très unie. Au milieu des années 1990, Luc avait réalisé qu'il était homosexuel. Il avait d'abord décidé de cacher ce fait à la fois de ses parents et de ses amis d'enfance. Le stress de ne pas dévoiler ce qu'il était à ceux qu'il aimait avait d'énormes répercussions négatives.

La goutte qui avait fait déborder le vase (le stress) était surv-enue lorsque la mère de Luc, la personne qu'il chérissait le plus, était décédée dans un accident de la route. Cet acteur merveilleuse-ment doué, acclamé autant par le public que par ses pairs, avait commencé à faire de l'anxiété et à subir de véritables attaques de panique. Ces attaques avaient tendance à se manifester lorsque son stress était particulièrement élevé.

Une fois, avant une grande cérémonie de remise de prix, son niveau de stress avait augmenté au point que Luc n'avait pu assis-ter à la soirée ni accepter son prix. À mesure que les symptômes s'aggravaient, Luc tentait de gérer son stress à toute vitesse avant le tournage de chaque épisode de son émission de télévision. Malheureusement, cette préparation impliquait la prise d'un tranquillisant combiné à un ou deux verres de vin. Luc réussissait à calmer son anxiété, parce que le stress de Luc était non seulement une réaction psychologique, mais aussi une réaction biochimique déclenchée par des taux continuellement élevés de cortisol. Malgré cela, alors que ce rituel relaxant permettait à Luc d'éviter des attaques de panique, la brume mentale causée par la concoction médicament et alcool lui faisait oublier son texte. Finalement, Luc a perdu son emploi… une autre victime du stress.

CE N'EST PAS SEULEMENT «DANS VOTRE TÊTE»

Pendant plus de deux décennies, j'ai rencontré des milliers de patients ayant une grande variété de symptômes qui se sont développés durant ou après des périodes de stress. Dans de nombreux cas, ces symptômes ont entraîné une réduction considérable de leur qualité de vie. Dans quelques cas, les symptômes les ont conduits à un grand désespoir. Dans tous les cas, le diagnostic reçu au préalable indiquait la tension nerveuse, un burnout, l'anxiété ou la dépression. Ces diagnostics se soldaient par des opportunités manquées d'affronter positivement les problèmes physiologiques et d'améliorer la santé globale.

Si ces histoires vous semblent familières, et si les effets du stress ont un impact sur vous ou un être cher, lisez alors ce qui suit. Je vais vous démontrer que le stress occasionne de véritables effets physiologiques. Je vais également partager avec vous la bonne nouvelle: la plupart, si ce n'est la totalité de ces effets, sont réversibles grâce à des modifications dans l'alimentation et le style de vie. Plus important encore, je vais vous transmettre l'information nécessaire qui vous permettra d'apporter ces changements salutaires à votre propre vie.

CHAPITRE 2

Les causes et la définition du stress

LORSQUE JE PARLE DE STRESS à mes patients, je débute en partageant avec eux une définition claire. Une de mes patientes m'avait déjà affirmé que ses symptômes ne pouvaient pas être dus au stress. Elle disait que sa vie était bien équilibrée, qu'elle avait un mari remarquable, et que ses enfants étaient de «bons enfants.» Elle ne pouvait identifier aucun traumatisme ou stress majeur dans sa vie, mais elle manifestait néanmoins des symptômes similaires à ceux du Syndrome S. Quand on commence à examiner tous les types de stress potentiel, on peut généralement identifier certains aspects de la vie que le patient n'avait pas identifiés comme étant «stressants».

Le concept du stress, qui est le résultat des efforts d'adaptation du corps, a été popularisé en grande partie grâce au travail du lauréat au Prix Nobel Hans Selye. Son ouvrage mémorable intitulé «*The Stress of Life*» (Le stress de la vie) met en évidence le fait que le stress est tout à fait normal, voire même bénéfique. Selon Selye, le corps peut s'adapter aux facteurs de stress tant et aussi longtemps que le stress n'est pas trop grand et que les mécanismes d'adaptation du corps n'ont pas été affaiblis d'aucune façon.

Dans son livre «*Treat the Cause*» (Traiter la cause), Peter Papadogianis souligne qu'il existe une variété de types de facteurs stressants, qui sont soit physiques, émotionnels, professionnels, sociaux et chimiques. En réalité, tout ce qui suscite une réponse du corps, c'est-à-dire, qui le force à réagir, peut être considéré comme un agent (élément) stressant. Comme Selye écrit, un agent stressant est donc une demande qui sollicite une réponse non spécifique dans le corps. D'autres ont défini un agent stressant comme étant toute condition ou stimulus qui perturbe l'équilibre homéostatique du corps.

Pour faciliter la compréhension avec mes patients et dans mon travail, je définis le stress de la façon suivante:

- «Des facteurs physiques, chimiques ou affectifs qui engendrent des tensions corporelles ou mentales.»
- «Tout changement qui nécessite une adaptation mentale, physiologique ou biochimique.»

Ces facteurs de stress peuvent être catalogués en deux grandes catégories: le *bon stress* (en anglais, «*eustress*») et le *mauvais stress* (en anglais, «*distress*»). Souvent, nous oublions ou laissons de côté le bon stress pour des raisons que vous verrez ci-dessous.

Le *bon stress* est nécessaire sinon on ne pourrait s'améliorer ou grandir. Un bon exemple de stress positif est l'exercice. Après l'exercice, le corps réagit au stress par l'adaptation. Les tissus des os et des muscles se développent pour répondre à la demande accrue (stress) qui leur est imposée. L'exercice entraîne des changements, entre autres, la croissance musculaire, qui aident le corps. Le bon stress peut également être la sensation d'empressement à respecter un délai dans un projet. Le corps aide à gérer la situation en devenant plus vigilant et alerte. Dans de nombreux cas, on devient plus motivés et plus aptes à relever des défis. Le bon stress n'est pas ce qu'on sous-entend généralement lorsqu'on déclare «Je suis si stressé!»

Le *mauvais stress* est le type de stress qu'on considère habituellement comme étant négatif d'un point de vue physiologique. Le mauvais stress est un stress qui est trop lourd à supporter ou à affronter. Parmi les exemples de mauvais stress, on compte le décès d'un être cher, la perte d'un emploi, l'ingestion d'agents chimiques toxiques, ou une surcharge sensorielle. Ce sont des types de stress que nous cherchons généralement à éviter. Physiologiquement, on ressent une hausse de la tension artérielle, une amplification de la respiration, et une tension généralisée. On peut alors se tourner vers des mécanismes d'adaptation négatifs, tels que l'hyperphagie, le tabagisme ou l'alcoolisme.

Je réitère que d'une perspective psychologique et spirituelle, on doit éviter d'étiqueter tout agent stressant comme étant un «mauvais stress». En tant qu'êtres humains, nous pouvons devenir meilleurs suite à un stress positif et aussi à un stress négatif. Nous pouvons développer et former notre caractère par le biais de ce processus. Par contre, d'un point de vue physiologique, les bouleversements sont toujours mauvais. Ces facteurs de stress sollicitent une réponse sans entraîner aucun changement physiologique ou biochimique qui soit positif. On ne s'améliore pas à cause d'une affliction… mais il faut s'améliorer en dépit de cela.

La clé à ce résultat positif est la tolérance au stress, ou le pouvoir de supporter le stress et de gérer les symptômes du stress. Comme le corps et l'esprit sont connectés, tout effort fait en vue de gérer les symptômes psychologiques du stress améliorera aussi les symptômes physiologiques.

Bien entendu, la première étape dans la gestion du stress est d'identifier son origine.

L'ÉCHELLE D'ÉVALUATION DU STRESS

Pour aider mes patients à mieux comprendre, je mets leur stress en perspective en utilisant une échelle permettant d'évaluer leur niveau de stress (en anglais, «*Social Readjustment Rating Scale*»). Cette échelle a été élaborée par les chercheurs Thomas Holmes et Richard Rahe, à la fin des années 1960, à la *University of Washington School of Medicine*. Leur principal objectif dans la création de cette échelle était de fournir un moyen de mesurer l'impact des éléments de stress courants dans une vie. Plusieurs décennies plus tard, cette échelle est encore reconnue comme un outil précieux et fiable pour évaluer les facteurs de stress.

Prenez quelques minutes pour évaluer les éléments de stress dans votre propre vie. Jusqu'où vous devez remonter dans le temps dépend de votre réaction personnelle aux facteurs de stress. Il serait sage de tenir compte des facteurs suivants lorsque vous remplirez le tableau: votre niveau de réactivité au stress au point de vue génétique (venez-vous d'une longue lignée de personnes au tempérament naturellement anxieux?), le vécu d'un traumatisme physique ou émotionnel, et l'état de votre équilibre hormonal. D'autres facteurs, y compris la qualité de votre alimentation, la pratique régulière ou non d'un exercice physique ou d'une thérapie de relaxation, ainsi que vos croyances spirituelles, peuvent également jouer un rôle dans votre façon de réagir au stress, que ce soit physiquement, mentalement ou émotionnellement.

ÉVÉNEMENT MARQUANT	VALEUR
Décès d'un conjoint	100
Divorce	73
Séparation conjugale	65
Sentence d'emprisonnement	63
Décès d'un proche	63
Blessure ou maladie personnelle	53
Mariage	50
Congédiement	47
Réconciliation du couple	45
Retraite	45
Changement dans l'état de santé d'un proche	44
Grossesse	40
Problèmes sexuels	39
Gain d'un nouveau membre dans la famille	39
Rajustement professionnel	39
Changement de la situation financière	38
Décès d'un ami intime	37
Réorientation de carrière	36
Augmentation des arguments dans le couple	35
Hypothèque de plus de 100 000$	31
Saisie de biens immobiliers	30
Changement dans les responsabilités au travail	29

Fils ou fille qui quitte la maison	29
Problèmes avec la belle-famille	29
Exploit remarquable	28
Conjoint qui commence ou quitte un emploi	26
Commencer ou terminer l'école	26
Changement dans les conditions de vie	25
Révision des habitudes personnelles	24
Problèmes avec le patron	23
Changement dans l'horaire ou les conditions de travail	20
Changement de résidence	20
Changement d'école	20
Changement dans les loisirs	19
Changement dans les activités religieuses	19
Changement dans les activités sociales	18
Hypothèques ou prêts de moins de 100 000$	17
Changement dans les habitudes de sommeil	16
Changement dans le nombre de réunions familiales	15
Changement dans les habitudes alimentaires	15
TOTAL	

*La donnée sur l'hypothèque a été mise à jour par rapport à la donnée originale de 10 000$ afin de refléter l'inflation.

INTERPRÉTATION DE VOS RÉSULTATS

Bien qu'aucun test de ce genre ne soit parfait, il reste que c'est un outil utile pour évaluer les effets cumulatifs du stress au fil du temps. Un total de 150 points ou moins est un indicateur que votre niveau de stress est faible. Si votre score se situe entre 150 et 299, les chances sont d'environ 50 % que vous développerez des symptômes reliés au stress. Si votre score est de 300 ou plus, vous avez un risque de presque 80 pour cent de vivre des symptômes associés au stress.

Outre cette échelle, je tiens à souligner deux concepts. D'abord, l'impact du stress est cumulatif. Holmes et Rahe ont découvert que les événements de stress survenus dans le passé peuvent agir sur l'efficacité avec laquelle nous affrontons le stress actuellement. Dans les cas que je vous ai présentés plus haut, je vous parlais de la goutte qui faisait déborder le vase. Le score final est donc le résultat de ce stress accumulé et évolutif. C'est aussi la raison pour laquelle beaucoup de mes patients sont surpris de voir à quel point un stress qui semble mineur peut parfois déclencher des symptômes importants. Notre vase, pour ainsi dire, s'est rempli graduellement. Il suffit donc d'une goutte ou deux pour le faire déborder.

Le second concept que je tiens à mettre en évidence, c'est que les événements de vie positifs peuvent affecter le corps de façon négative, et donner un score semblable à celui obtenu avec la liste d'événements négatifs. Le mariage, par exemple, a une valeur qui s'apparente à celle d'une blessure ou d'une maladie, ou encore à celle d'un congédiement. Bien que le mariage devrait être un événement extraordinairement heureux, il se classe relativement haut dans l'échelle. Rappelez-vous de Luc qui a subi une attaque de panique le soir même de la cérémonie de remise de prix. L'échelle

de Holmes et Rahe évalue à 28 l'événement «Exploit remarquable», ce qui est presque aussi stressant que l'événement «Saisie de
biens immobiliers» ou «Problèmes avec la belle-famille».

L'histoire suivante est un bon exemple de ces deux concepts:

Dorothée avait développé une série de symptômes suite à un
déménagement de Montréal à Calgary. Elle avait voulu déménager
à Calgary depuis des années pour être plus près de son fils, Tom,
qui enseignait à l'Université de Calgary. Elle et son mari consi-
déraient Calgary comme un choix plus approprié pour leur retraite,
surtout avec un petit-fils sur le point de naître.

Cependant, Dorothée avait commencé à éprouver certains
symptômes à mesure que la date du déménagement approchait.
Elle ne dormait plus aussi bien et se plaignait de plus en plus de
douleurs abdominales et de maux de tête intermittents. En outre,
Dorothée commençait à avoir des palpitations cardiaques, surtout
la nuit, et son sommeil se détériorait encore plus. Pourquoi des
changements si positifs provoqueraient-ils ces symptômes? C'est
là que l'effet cumulatif du stress comme indiqué dans l'Échelle
d'évaluation du stress peut être un indicateur pratique. Calculons
les événements de stress antérieurs que Dorothée avait vécus, en
tenant compte de son patrimoine génétique, de ses hormones et
de son mode de vie comme nous avons vu plus haut. Étant donné
la réaction de Dorothée aux événements de stress et le fait que le
stress peut avoir un effet cumulatif, on a examiné tous les événements qui sont survenus dans sa vie adulte.

ANNÉE	ÉVÉNEMENT MARQUANT DANS LA VIE DE DOROTHÉE	SCORE CUMULATIF
1974	Dorothée est admise à l'université, elle doit déménager dans une autre province. Commencer ou terminer l'école = 26 points; changement de résidence = 20 points.	46
1977	Dorothée obtient son diplôme, revient dans sa région, et commence un nouvel emploi. Elle termine l'école = 26 points; changements dans la vie sociale (quitte ses amis(ies) de l'université) = 18 points.	44
1980	Dorothée épouse Pierre. Ils emménagent dans un petit appartement. Mariage = 50 points; changement de résidence = 20 points.	70
1983	Dorothée devient enceinte. Grossesse = 40 points.	40
1984	Dorothée et son époux ajoutent un membre à la famille, Tom. Gain d'un nouveau membre dans la famille = 39 points.	39
2004	Tom obtient une bourse et quitte la maison pour aller à l'université. Enfant quittant la maison = 29 points.	29

2009	Au milieu de la crise bancaire et hypothécaire, Pierre perd son emploi, causant un grand changement dans leur situation financière. Conjoint qui commence ou arrête de travailler = 26 points; changement dans la situation financière = 38 points.	64
2012	La mère de Dorothée reçoit un diagnostic de cancer du sein. Changement dans la santé d'un membre de la famille = 44 points.	44
2013	Dorothée et Pierre déménagent à Calgary. Changement de résidence = 20 points.	20
TOTAL		**396**

Comme vous voyez bien, il n'y a rien d'excessif dans ces facteurs de stress qui se produisent, pour le moins, fréquemment au cours d'une vie. Pourtant, avec un score atteignant presque 400, le risque pour Dorothée de développer des symptômes de stress est presque de 80 pour cent. De simples éléments stressants que nous connaissons pour la plupart peuvent s'accumuler petit à petit de façon sournoise. Il arrive un moment où le corps ne peut tout simplement plus en prendre. C'est alors que le Syndrome S fait son apparition.

L'*Échelle d'évaluation du stress* est un outil avantageux pour comprendre ce qu'est le stress et comment il peut éventuellement entraîner des symptômes troublants. Toutefois, cette échelle n'aborde pas deux notions extrêmement importantes aux fins de notre discussion. De plus, elle n'inclut pas les agents de stress hormonal ou environnemental. Aussi, l'échelle fournit seulement des scores absolus et ne peut pas être ajustée en fonction de la capacité de la personne à affronter le stress. Chaque personne a ses propres capacités de tolérance au stress. Et même au-delà de ces caractéristiques intrinsèques, nous pouvons faire des choix individuels pour gérer ou non les symptômes de stress.

CHAPITRE 3

La physiologie du stress

LA NOTION DE STRESS et des effets physiologiques n'est pas récente. En effet, de nombreuses études ont rapporté les effets insidieux du stress sur le corps autant que sur l'esprit. Un aperçu d'un rapport intitulé «*Stress in America Findings*» de la *American Psychological Association (APA)* en 2010 fournit une liste des symptômes physiques généralement attribués au stress. Le tableau de la page suivante répertorie ces symptômes.

Comme on pouvait s'y attendre d'un rapport de l'APA, ce tableau met l'accent sur les dimensions psychologiques du stress. Il inclut également un certain nombre de symptômes physiques. Certains auteurs ont concentré leur attention sur les effets du stress sur le corps en général, ainsi que sur les répercussions spécifiques sur la régulation des taux de glycémie. Dans son livre révolutionnaire intitulé «*Mental and Elemental Nutrients*», le psychiatre Carl C. Pfeiffer présente une description des symptômes de stress (notamment ceux reliés à la glycémie).

«Avec le temps, les symptômes peuvent se multiplier, mais certaines des manifestations somatiques les plus courantes sont les suivantes: fatigue ou épuisement, maux de tête, palpitations du cœur, douleurs ou spasmes musculaires, fourmillements ou picote-

SYMPTÔMES PHYSIQUES DU STRESS

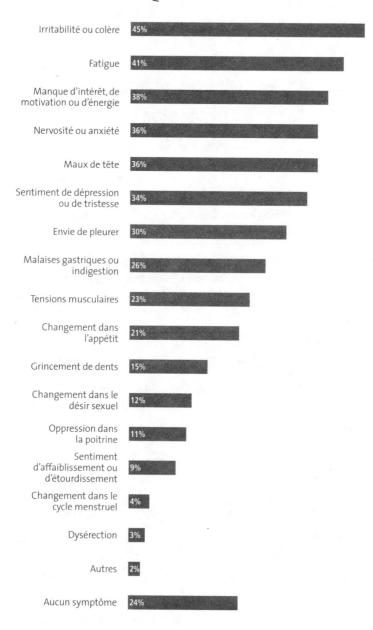

Symptôme	%
Irritabilité ou colère	45%
Fatigue	41%
Manque d'intérêt, de motivation ou d'énergie	38%
Nervosité ou anxiété	36%
Maux de tête	36%
Sentiment de dépression ou de tristesse	34%
Envie de pleurer	30%
Malaises gastriques ou indigestion	26%
Tensions musculaires	23%
Changement dans l'appétit	21%
Grincement de dents	15%
Changement dans le désir sexuel	12%
Oppression dans la poitrine	11%
Sentiment d'affaiblissement ou d'étourdissement	9%
Changement dans le cycle menstruel	4%
Dysérection	3%
Autres	2%
Aucun symptôme	24%

ments de la peau, transpiration excessive, essoufflement, tremblements, étourdissements, accès de faiblesse, évanouissement, vision double ou floue, mains ou pieds froids, envies de sucre, faim, indigestion chronique, nausées. Les symptômes psychologiques comprennent la confusion, la distraction, l'indécision, la perte de mémoire et/ou de concentration, l'irritabilité, l'instabilité émotive, l'agitation, l'insomnie, les craintes, les cauchemars, la paranoïa, l'anxiété et la dépression.»

Le stress peut également contribuer à un certain nombre de maladies chroniques, comme en atteste un rapport de 2007 dans le *Journal of the American Medical Association*. Selon ce rapport, «Le stress est impliqué comme facteur causal dans plus de 80 pour cent de toutes les maladies non infectieuses.» Voici une autre liste établie selon les systèmes biologiques, qui a été créée par K. L. McCance et J. Shelby, et présentée dans leur livre «*Stress and Disease. Pathophysiology: the biological basis for disease in adults*». Comme vous constaterez, il indique clairement les mêmes conclusions.

Système cardiovasculaire
Maladie coronarienne
Hypertension
Accident vasculaire cérébral

Système musculo-squelettique
Céphalées de tension
Contractions musculaires
Maux de dos

Tissus conjonctifs
Polyarthrite rhumatoïde et troubles connexes des tissus conjonctifs

SYSTÈME PULMONAIRE
Asthme
Rhume des foins

SYSTÈME IMMUNITAIRE
Immunodépression
Maladies auto-immunes

SYSTÈME GASTRO-INTESTINAL
Ulcères
Syndrome de l'intestin irritable
Diarrhée
Nausées et vomissements
Colite ulcéreuse

SYSTÈME GÉNITO-URINAIRE
Diurèse
Impuissance
Frigidité

PEAU
Eczéma
Acné

SYSTÈME ENDOCRINIEN
Diabète sucré
Aménorrhée

SYSTÈME NERVEUX CENTRAL
Fatigue et léthargie
Hyperphagie
Dépression
Insomnie

À part les listes, je tiens à souligner un point important. Si vous souffrez d'un ou de plusieurs de ces symptômes, si vous ne parvenez pas à identifier une cause physique immédiate, et si vous avez un score élevé sur l'*Échelle d'évaluation de stress*, il est probable que le stress ait causé ou exacerbé le problème. Dans le Chapitre 4, je fournis une liste de vérification pour vous aider à évaluer le rôle que peut jouer le stress relativement à vos problèmes de santé.

CHAPITRE 4

L'évaluation des symptômes de stress

L'OBJECTIF DE CE CHAPITRE est de vous aider à évaluer si le stress contribue à vos problèmes de santé. Je veux vous faire réaliser dans quelle mesure le stress peut être un facteur, et j'espère que vous serez rassuré de constater que ce n'est pas «tout dans votre tête». Pour ce faire, vous devez revoir votre score selon l'*Échelle d'évaluation du stress* parallèlement aux résultats du *Questionnaire des symptômes/systèmes biologiques* ci-dessous.

À mesure que vous cochez les événements de stress dans le tableau, ne vous souciez pas de savoir si vous croyez que le stress vous a affecté de façon tangible ou non. En d'autres termes, ce n'est pas important si vous avez «ressenti» le stress. Nous réagissons tous différemment; dans de nombreux cas, il est possible que le stress nous affecte uniquement au niveau biochimique et physiologique, et dans ces cas, souvent, on ne pourrait prendre une décision en fonction de nos émotions.

Aussi, comme nous l'avons mentionné précédemment, chaque stress subi peut ne pas avoir suscité une réaction. Rappelez-vous: les 1000 premières gouttes n'ont peut-être pas fait déborder le vase, mais toutes ces gouttes ont fait que la 1001ᵉ goutte en était une de trop.

Une fois que vous avez calculé votre score, passez au questionnaire suivant. Il vous suffit de cocher les symptômes que vous ressentez vraiment. Bien entendu, ces symptômes peuvent être dus à une variété d'autres causes, et pas seulement au stress. Toutefois, lorsque les examens médicaux de routine ne parviennent pas à trouver la cause du problème, ou lorsque plusieurs symptômes semblent se développer presque simultanément, le stress pourrait être la cause du problème.

Les symptômes sont répertoriés par catégorie. À la fin de chaque catégorie, vous pouvez calculer le nombre total de «oui» pour chaque section; vous pourrez ainsi découvrir l'effet possible du stress sur des systèmes biologiques spécifiques du corps. Ce questionnaire ne donne pas un résultat cumulatif comme avec l'*Échelle d'évaluation du stress*. Cependant, il offre un aperçu des symptômes qui peuvent être provoqués par le stress, ainsi que du ou des groupes qui sont les plus touchés dans votre cas. Dans les chapitres suivants, je vais partager avec vous des suggestions de nutrition et de mode de vie, qui vous permettront de travailler à la fois rapidement et efficacement sur les zones les plus touchées.

QUESTIONNAIRE DES SYMPTÔMES DE STRESS/ SYSTÈMES BIOLOGIQUES

SYSTÈME CORPOREL	SYMPTÔME	OUI
NEURO-MUSCU-LAIRE	Maux de dos	
	Syndrome du tunnel carpien	
	Douleurs cervicales (cou)	
	Crampes	
	Fibromyalgie	
	Grincement des dents	
	Maux de tête	
	Douleurs lombaires	
	Douleurs musculaires	
	Engourdissement ou fourmillement (surtout dans les extrémités)	
	Lassitude	
	Torticolis	
TOTAL		
NEURO-PSYCHO-LOGIQUE	Anxiété	
	Difficulté à se concentrer (mentalement)	
	Nervosité	
	Réaction excessive au stress	
	Attaques de panique	
	Troubles de concentration	
	Troubles de mémoire	
	Vertige	
	Se réveiller la nuit	
TOTAL		
CARDIOVAS-CULAIRE	Arythmie	
	Palpitations cardiaques	
	Hypertension	
	Migraines	
	Syndrome de Raynaud	
	Tachycardie	
	Acouphène	
TOTAL		

GASTRO-INTESTINAL	Ballonnements	
	Éructations	
	Constipation	
	Diarrhée	
	Ulcère duodénal	
	Gastrite	
	Indigestion	
	Reflux gastrique (brûlures d'estomac)	
	Ulcères gastriques	
	Colite ulcéreuse	
TOTAL		
RESPIRA-TOIRE	Asthme	
	Bronchoconstriction	
	Difficulté à respirer	
	Rhinite	
TOTAL		
CHEVEUX, ONGLES et PEAU	Cheveux cassants	
	Ongles cassants	
	Sudation abondante	
	Perte de cheveux	
	Ongles striés	
	Vitiligo	
TOTAL		
HORMONAL	Baisse de libido	
	Endométriose	
	Infertilité	
	Osteopénie ou ostéoporose	
	Kystes de l'ovaire	
	SPM	
	Migraines prémenstruelles	
TOTAL		
ACCOUTU-MANCE	Envies de sucre	
	Envies de sel	
	Envies de gras	
	Envies d'alcool	
TOTAL		
TOTAL de TOUTES LES CATÉGORIES		

BON STRESS, MAUVAIS STRESS;
LES EFFETS SUR L'AMOUR ET SUR LA PEUR

Comme nous avons déjà mentionné, le corps réagit de la même façon à un «bon» ou à un «mauvais» stress. Prenons l'exemple de la peur et de l'amour. Imaginons une personne qui a très peur; elle apprend d'une source sûre que quelqu'un sera en ville le lendemain pour la tuer. Elle perdra probablement l'appétit... et pour bonne cause! Le sommeil, bien sûr, sera très difficile, puisqu'elle s'imaginera anxieusement une variété de scénarios pour le lendemain. Et une fois qu'elle sera enfin confrontée à l'individu, elle sentira son visage rougir et ses mains devenir moites.

Maintenant, supposons un autre scénario. Cette situation vous est probablement arrivée. Vous rencontrez quelqu'un qui vous intéresse vraiment. Cette personne vous retourne un sourire et il se pourrait même qu'elle vous prenne par la main ou vous enlace. Étrangement, votre corps réagit de la même façon que dans le premier scénario. Vous perdez votre appétit. Le sommeil devient perturbé; vous pensez fébrilement à cette personne et vous êtes empressée de la revoir. Et finalement, si vous l'embrassez ou elle vous embrasse, vous sentirez probablement votre visage rougir, et vos mains devenir moites.

La peur ou l'amour, que l'expérience soit bonne ou mauvaise, le corps réagit au stress de la même façon. C'est pourquoi ces deux scénarios de stress peuvent avoir le même impact sur le corps. Bien qu'au niveau psychologique, il n'y a aucun point commun entre tomber amoureux et craindre d'être tué, le corps néanmoins réagit de façon similaire.

LA RÉACTION DE LUTTE OU DE FUITE DE L'HOMME DES CAVERNES

Dans le chapitre 1, nous avons examiné les réactions au stress de cinq personnes très différentes. Dans tous les cas, certains symptômes pouvaient être caractérisés de «nerveux» ou psychologiques. Dans de nombreux cas, il y avait également des symptômes très physiques. Nous avons également vu que les éléments déclencheurs pouvaient être très distincts.

Cathy brûlait la chandelle par les deux bouts... elle était une super maman, une super épouse et une super employée. Quant à Gérard, le surmenage était un facteur, bien que son divorce avait également eu de graves répercussions sur son niveau de stress. Les symptômes de stress de Patricia semblaient venir du fait qu'elle était incapable de réaliser une des ambitions de sa vie, c'est-à-dire avoir un bébé. Enfin, Luc avait éprouvé une «réaction de stress» à un événement extraordinairement positif... recevoir un prix d'excellence. Pourquoi en est-il ainsi? Quelle caractéristique de la réaction au stress peut-on cibler lorsqu'on fait face à une telle variété de symptômes? Pourquoi notre corps réagit-il au stress de manière si excessive?

Lorsqu'on aborde la question du stress, on doit mettre certaines choses en perspective. En présence de stress, quel qu'il soit, le corps se mobilise pour y réagir adéquatement. Il se prépare physiologiquement à combattre ou à fuir. Il diminue l'activité de toute fonction biologique qui pourrait nuire aux activités de combat ou de fuite. Le corps augmente également toute autre réaction ou fonction biologique propice au combat ou à la fuite. En d'autres termes, le corps est programmé pour se protéger dans le but d'assurer sa propre survie, à presque n'importe quel prix.

Toutefois, le problème est qu'aujourd'hui, on ne peut fuir ou lutter contre la plupart des éléments de stress qu'on rencontre dans notre vie moderne. Imaginez que vous vous réveillez un matin et constatez qu'il n'y a pas de nourriture dans le garde-manger et pas d'argent dans votre sac. Vos hormones de stress augmentent alors que votre corps se prépare à la lutte ou à la fuite. Il y a un siècle, vous auriez réagi à cette contrainte en chassant, en pêchant, en faisant une récolte ou en commettant un vol. Peu importe la situation, vous auriez utilisé les mécanismes de stress de votre corps pour réagir. Malheureusement, la plupart d'entre nous ne peuvent plus réagir physiquement à ce genre de situation. Supposons que vous détestez votre travail et détestez un collègue. Vous êtes harcelé continuellement, et même si vous portez plainte à vos supérieurs, rien ne se passe. Vous ne pouvez pas quitter votre travail, sinon ce serait un autre stress considérable, car vous ne seriez plus rémunéré. Jadis, il y a très longtemps, vous auriez peut-être résolu le problème en assommant votre collègue d'un coup de bâton. Malheureusement (ou heureusement selon votre position sur la question), il n'est plus possible d'agir ainsi. C'est une bonne chose pour la paix sociale, mais c'est moins bon pour votre corps.

Ainsi, même si en tant qu'humains, nous n'avons pas changé au niveau biochimique ou physiologique, nous avons sensiblement évolué au niveau social. Notre corps est encore programmé pour combattre ou fuir, mais on ne peut céder à cette demande physiologique. Voilà un aspect du problème et c'est ce qui entretient les effets du stress.

Bien qu'il n'y ait plus de «lutte ou fuite» aujourd'hui, on continue de manger comme si on pouvait et devrait lutter ou fuir. Nous n'avons pas encore ajusté notre régime alimentaire en conséquence, et cela affecte également de quelle façon le stress nous touche. Je traite des aspects nutritionnels du stress dans les chapitres à venir.

LE SUPPLICE DE LA GOUTTE D'EAU

Depuis les dernières décennies surtout, nous avons connu des changements majeurs dans l'intensité et la fréquence des facteurs de stress. Par le passé, on vivait des tensions intenses, mais pour la plupart des gens, ces contraintes n'étaient pas constantes ni durables. Aujourd'hui, les éléments de stress ont tendance à être moins intenses, mais ils sont beaucoup plus fréquents et certains d'entre eux sont incessants. Nos ancêtres n'avaient pas à confronter le stress sur une base quotidienne. Les stress occasionnels étaient intenses, certes, mais ils ne se produisaient pas tous les jours.

Lorsqu'il n'y avait plus de nourriture, le corps se mobilisait en vue d'un combat ou d'une fuite, prêt à réagir physiquement. En réponse à cette contrainte alimentaire, les hommes partaient à la chasse. Une fois qu'ils avaient tué leur proie, ils avaient suffisamment de nourriture pour durer un certain temps (donc aucun autre stress dans l'immédiat). En agriculture, le cycle agricole rigoureux engendrait des tensions pendant des semaines... labourer le sol, ensemencer les champs et attendre avec impatience de voir les premiers signes de vie végétale. Cependant, une fois que les récoltes commençaient à pousser, les niveaux de stress chutaient. Et une fois que la cueillette ou la moisson était faite, le stress disparaissait presque totalement. Bien sûr, je simplifie dramatiquement la notion d'intensité du stress, mais l'idée est que les éléments agresseurs étaient très intenses à l'époque, mais pas aussi soutenus qu'ils le sont aujourd'hui.

De nos jours, les stresseurs physiques, socio-économiques et environnementaux sont très différents. La plupart des stresseurs sont loin d'être aussi intenses que ceux de nos ancêtres. Tandis que nos événements de stress sont relativement minimes, ils sont néanmoins réguliers et épuisants. Pour la plupart d'entre nous, il y a le stress de se rendre au travail chaque jour. Le stress d'être performant au travail est, à bien des égards, différent de ce qu'il était dans le passé. Comme la majorité des activités de la vie d'antan avaient une composante physique, le corps était en mesure d'»utiliser» des réactions de lutte ou de fuite. Or, dans la plupart des environnements de travail d'aujourd'hui, on ne peut lutter ni fuir. Peut-être ne craignez-vous pas pour votre vie, mais il y a des éléments de stress reliés au rendement qui sont sans cesse présents et qui ne l'étaient que de façon sporadique il y a deux siècles.

En outre, l'addition d'outils de travail très utiles comme le télécopieur, le courrier électronique, et les téléphones intelligents a engendré des attentes de rendement encore plus grandes, amplifiant encore plus le stress. Par exemple, on reçoit un courriel indiquant qu'on a besoin de certains renseignements non urgents; une journée plus tard, on reçoit un message vocal sur notre téléphone intelligent et éventuellement un autre courriel. Tout semble en mode d'urgence aujourd'hui. Que serait-il arrivé à l'époque où ces outils n'étaient pas encore inventés?

Aujourd'hui, notre vie se défile à un rythme trépidant et bourdonne d'activités fiévreuses. Certains croient qu'on est torturé lentement et sans cesse, à la manière de l'infâme supplice de la goutte d'eau. Une goutte, deux gouttes, trois gouttes… finalement, après quelques milliers de gouttes, l'impact perpétuel de chaque goutte d'eau atteint le but visé, et c'est là qu'on cède aux pressions du stress.

Céder aux pressions du stress signifie la détérioration graduelle des glandes surrénales, du tube digestif, de la thyroïde, du pancréas et du foie. Comme notre corps réagit au stress en se ralliant en vue de combattre ou de fuir, nos glandes de stress réagissent trop souvent à l'excès et s'épuisent. Bon nombre des symptômes du Syndrome S, ou même tous les symptômes sont déclenchés par les répercussions du stress sur les surrénales.

CHAPITRE 5

La connexion cortisol

LE STRESS PEUT NUIRE à plusieurs glandes et à plusieurs systèmes du corps. Plus tôt, j'ai mentionné les surrénales, des glandes prédominantes qui réagissent au stress au niveau physiologique. Ci-dessous, je vais explorer la fonction surrénalienne et les répercussions du stress relativement à cette fonction. Je vais citer quelques exemples concrets des effets biochimiques du stress et de l'avalanche de symptômes qui en découlent.

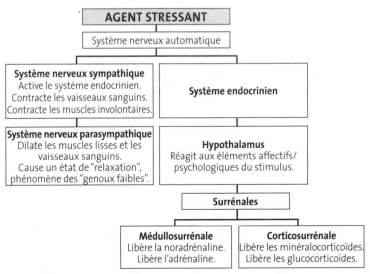

Adaptation tirée du Rapport Kellogg (Bard College Center, 1969)

Permettez-moi alors de vous expliquer la fonction surrénalienne en utilisant un langage légèrement plus technique. Le tableau de la page 37 fournit un aperçu des mécanismes adaptatifs biochimiques complexes qui sont sollicités suite à une réponse au stress par le corps.

Comme on peut voir, les surrénales jouent un rôle majeur dans la phase finale de la réaction au stress. Les glandes surrénales sont deux petites glandes qui siègent sur les reins, d'où leur nom "sur-" et "rénal".

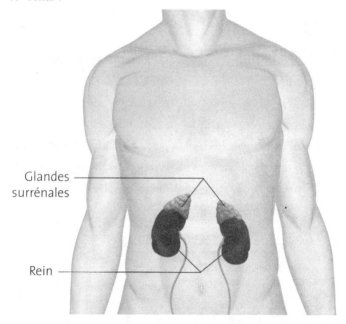

Glandes surrénales

Rein

Les glandes surrénales se divisent en deux structures, la médullosurrénale et la corticosurrénale. La médullosurrénale, la partie intérieure de la glande, sécrète l'épinéphrine (c'est-à-dire, l'adrénaline) et la norépinéphrine (c'est-à-dire, la noradrénaline). La corticosurrénale, située sur le périmètre de la glande, sécrète les minéralocorticoïdes, les glucocorticoïdes, et les gonadocorticoïdes. Examinons plus en détail chaque partie de la surrénale.

APERÇU DE LA MÉDULLOSURRÉNALE

Durant un événement stresseur et suivant une stimulation par le système nerveux sympathique et l'hypothalamus, la médullosurrénale sécrète l'épinéphrine (adrénaline) et la norépinéphrine (noradrénaline). Ces deux hormones nous aident à affronter le stress en accélérant le rythme cardiaque, et en élevant la tension artérielle, la consommation d'oxygène, ainsi que le taux de glycémie. Elles augmentent aussi le débit sanguin vers les muscles squelettiques. Toutes ces réponses sont au service de la réaction de lutte ou de fuite. En outre, l'adrénaline provoque la libération d'hormones hypophysaires. L'hypophyse (ou glande pituitaire) relâche les endorphines, des narcotiques naturels qui refoulent l'immunité et réduisent la perception de la douleur.

Lorsque le rythme cardiaque s'accélère et que la tension artérielle augmente, le sang est pompé plus rapidement pour être acheminé dans les parties du corps requises par ce dernier pour combattre ou pour fuir. L'augmentation de la consommation d'oxygène et du taux de sucre sanguin fournit l'énergie supplémentaire nécessaire pour confronter le stress physique. L'augmentation de la libération d'endorphines garantit que la douleur n'atténuera pas notre agressivité ou notre capacité d'accélération.

Les coureurs éprouvent ce phénomène chaque fois qu'ils atteignent un certain niveau d'intensité durant leur course. La fréquence cardiaque augmente, les muscles squelettiques s'engorgent de sang pour répondre plus efficacement à la demande, et les narcotiques naturels, c'est-à-dire les endorphines, réduisent la douleur. Vous savez maintenant pourquoi de nombreux coureurs déclarent qu'ils ressentent un état d'euphorie lorsqu'ils font de la course. Leur corps ne réalise pas qu'ils courent pour être en santé. En fait, certains coureurs diront qu'ils sont «accro» à la course. D'une certaine façon, ils le sont!

Maintenant, supposons une personne souffrant de stress. Sa tension artérielle et son rythme cardiaque pourraient s'élever. Sous un stress permanent et continuel, avec la médullosurrénale travaillant en surtemps, la tension artérielle, le rythme cardiaque, et le taux de glycémie pourraient demeurer élevés. Cette personne pourrait également éprouver des douleurs musculaires dues au volume de sang accru et accumulé transmis vers les muscles squelettiques. En conséquence, cette personne pourrait souffrir d'infections plus fréquentes ou prendre plus de temps pour récupérer d'une maladie infectieuse, à cause des effets immunosuppresseurs des endorphines. Commencez-vous à mieux comprendre ce qui se passe?

APERÇU DE LA CORTICOSURRÉNALE

En période de stress, et en réponse au système nerveux sympathique via l'hypothalamus, la corticosurrénale sécrète les hormones minéralocorticoïdes et glucocorticoïdes. Les minéralocorticoïdes augmentent la réabsorption de sodium et l'excrétion de potassium par les reins, augmentant ainsi la capacité de rétention d'eau. Les glucocorticoïdes augmentent les taux de glycémie et inhibent l'inflammation et la réponse immunitaire. Toutes ces actions physiologiques veillent à ce que le corps ait un approvisionnement suffisant en sang et en glucose dans le but de fournir l'énergie nécessaire soit pour fuir une situation dangereuse ou pour affronter le danger.

La corticosurrénale sécrète également les gonadocorticoïdes (c'est-à-dire, les hormones sexuelles) qui se divisent en deux catégories: les hormones androgènes (hormones mâles) et les hormones œstrogènes (hormones femelles). La recherche actuelle met en évidence le fait que le stress peut avoir un impact sur la production des hormones, affectant ainsi la libido, le SPM, les symptômes de la ménopause, ainsi que la fécondité. Cet impact est plus évident lorsque la production de testostérone ou d'œstrogènes est inférieure, lors de la ménopause et de l'andropause.

LA CONNEXION CORTISOL

L'hormone de stress qui a le plus grand impact physiologique est le cortisol, l'hormone sollicitée durant un stress à long terme. Le cortisol, un glucocorticoïde, est produit par la corticosurrénale en période de stress. Par conséquent, une sécrétion excessive de cortisol peut avoir un impact sur les hormones produites par cette partie des surrénales. Cela explique également un bon nombre des effets à long terme du stress sur l'organisme. En effet, lorsque le corps subit un stress qui est continuel, il commence à changer son mode de fonctionnement d'une façon telle qu'il provoque des effets irréversibles et nuisibles sur la santé et le bien-être.

Le cortisol agit de façon à accroître le glucose dans le sang par le biais de la gluconéogenèse, à réprimer le système immunitaire; et à participer au métabolisme des lipides, des protéines et des glucides. Le cortisol inhibe également la formation osseuse. Bien que les événements de stress à court terme augmentent la production d'adrénaline, le stress à long terme exerce invariablement un effet sur l'augmentation de la production de cortisol.

Des chercheurs ont démontré que des taux chroniquement élevés de cortisol entravent la capacité de l'organisme à stopper la production de cortisol reliée au stress, soutenant ainsi un taux élevé de cortisol même lorsque l'événement de stress est relativement normal. À mesure que nous examinerons les effets du cortisol dans le corps, vous commencerez à comprendre comment ce cercle vicieux peut occasionner une panoplie de symptômes débilitants via des interactions avec les neurotransmetteurs, avec les organes gastro-intestinaux et autres, et aussi avec la production d'hormones.

LE CORTISOL ET LES NEUROTRANSMETTEURS

La sérotonine est un neurotransmetteur qui joue un rôle dans le maintien du cycle veille-sommeil et de l'humeur (tranquillisant et antidépresseur), le contrôle de l'appétit, la perception de la douleur, et le péristaltisme (motilité intestinale). Les chercheurs savent depuis longtemps qu'une augmentation de cortisol cause en réalité une baisse des taux de sérotonine, prédisposant donc à l'insomnie, à l'anxiété, à la dépression, à une perception accrue de la douleur, et à des troubles gastro-intestinaux.

Cet effet du cortisol sur la baisse du taux de sérotonine est une bonne chose dans une situation de vie ou de mort. Si vous habitez un village entouré d'ennemis, il est préférable d'avoir le sommeil léger afin de pouvoir entendre l'ennemi l'autre côté de la barrière. De même, si vous êtes en situation de combat ou de fuite, c'est une bonne chose de ne pas être trop détendu. Vaut mieux être à un niveau élevé de vigilance, voire même éprouver une certaine anxiété afin de pouvoir rester sur ses gardes. Toutefois, des taux constamment élevés de cortisol peuvent avoir des effets dévastateurs.

En mesurant les variations de cortisol et d'activité de certains neurotransmetteurs, les chercheurs ont pu associer les effets du stress à de graves maladies chroniques, dont l'asthme, l'hépatite chronique active, l'hépatite chronique récidivante, la maladie de Crohn, la sclérose en plaques, la polyarthrite rhumatoïde, le lupus érythémateux systémique, la névralgie faciale, et la colite ulcéreuse. Les chercheurs ont conclu ce qui suit: «Un mécanisme de stress qui n'a pas été résolu est à la base de ces maladies.» Il est intéressant de constater que de nombreuses maladies qui ont été évaluées sont considérées comme étant des maladies auto-immunes.

LE CORTISOL ET LA SANTÉ GASTRO-INTESTINALE

Le cortisol s'est avéré avoir des effets majeurs sur le tractus gastro-intestinal, y compris les effets causés par une baisse des taux de sérotonine. En effet, la recherche indique que le cortisol peut stimuler le transit colique et abaisser le seuil de la douleur dans le tractus gastro-intestinal. C'est le cas des personnes qui éprouvent de la diarrhée ou des douleurs abdominales (ou les deux) lorsqu'elles sont stressées. Lorsqu'on est stressé, notre corps ne sait pas qu'on ne peut pas se battre ou fuir. Il augmente le débit sanguin vers les systèmes les plus importants pour déclencher la réaction de lutte ou de fuite, tout en privant les autres systèmes qui sont moins importants ou qui pourraient même nuire à l'évasion. Durant ces moments, par exemple, la digestion est moins importante que la réactivité musculaire ou la vigilance mentale.

Le cortisol peut également nuire à la perméabilité intestinale, entraînant ce qu'on appelle l'«hyperperméabilité intestinale». Quand la muqueuse intestinale est en santé, elle restreint ou arrête l'absorption de substances inutiles ou dangereuses dans le sang par le biais des intestins. Ces substances comprennent des bactéries, des levures, des parasites, des protéines intactes, ainsi que de nombreuses substances chimiques provenant de l'alimentation. En fait, une muqueuse saine peut faciliter ou favoriser l'absorption de substances bénéfiques dans la circulation sanguine, y compris des vitamines, des minéraux, des oligo-éléments ainsi que des peptides. Lorsque cette perméabilité sélective est affaiblie, l'inflammation intestinale s'installe et entraîne à son tour à des troubles de santé en aval, tels que des allergies ou des sensibili-tés alimentaires (également connues sous le nom de «réactions d'hypersensibilité retardée»).

LE CORTISOL ET LES GLANDES ENDOCRINES

Il n'est pas surprenant que le cortisol ait plusieurs répercussions à la fois sur les glandes endocrines et exocrines. Au fait, les glandes endocrines sont celles qui sécrètent des hormones dans la circula-tion sanguine, tandis que les glandes exocrines sécrètent des hor-mones destinées à être expulsées des glandes et, dans certains cas, même de l'organisme. Nous allons examiner seulement quelques-uns des effets du cortisol sur les glandes, bien que ceux-ci soient importants pour expliquer un grand nombre des conséquences du stress sur divers symptômes.

LE CORTISOL ET LE FOIE

Le glucose sanguin augmente avec le stress. S'il n'est pas utilisé à la lutte ou à la fuite, le foie doit reconvertir le glucose en glycogène et le stocker. La recherche a révélé que des taux chroniquement élevés de cortisol et le métabolisme des glucides par le foie qui s'y rapporte peuvent surcharger le foie. Effectivement, la recherche a associé des taux élevés de cortisol à la stéatose hépatique (foie gras), ainsi qu'à des taux élevés de cholestérol et de triglycérides. C'est ainsi que le stress peut entraîner un diagnostic de stéatose hépatique chez une personne qui n'a jamais consommé de matières grasses, de cholestérol, ou d'alcool en excès.

LE CORTISOL ET LE PANCRÉAS

La clonidine est un médicament qui s'est avéré pouvoir traiter efficacement la pancréatite aiguë, et qui réduit, en fin de compte, les taux de cortisol. Cela laisse fortement supposer que des taux élevés de cortisol influencent le pancréas de façon négative, surtout relativement à la production de glucagon et d'insuline. Ce n'est pas surprenant, puisque l'un des rôles principaux du cortisol est d'augmenter le taux sanguin de glucose.

LE CORTISOL ET LES HORMONES SEXUELLES

Le cortisol possède une foule d'effets hormonaux. Cela est particulièrement évident chez les femmes, bien que les hommes soient eux aussi définitivement touchés. La recherche révèle qu'un taux élevé de cortisol diminue la production de toutes les hormones sexuelles. L'un de ces effets est la production de progestérone. Il faut garder à l'esprit que la progestérone (pro + gestation) est une hormone de grossesse.

Puisque le cortisol et la progestérone rivalisent entre eux pour s'accaparer les récepteurs communs dans les cellules, le cortisol affaiblit l'activité de la progestérone, créant des conditions propices à une dominance en œstrogène. Des taux de cortisol chroniquement élevés peuvent être une cause directe d'une dominance en œstrogène, qui s'accompagne de tous les symptômes familiers du SPM.

C'est ce qui peut expliquer pourquoi certaines femmes ont de la difficulté à devenir enceintes lorsqu'elles sont stressées. Mes amis Janette et Paul voulaient désespérément avoir des enfants. Ils étaient tous deux des professionnels très actifs et très tendus. Selon eux, le fait de ne pas avoir d'enfants était le plus grand stress dans leur vie. Après avoir essayé pendant des années de procréer, ils ont décidé qu'il était probablement mieux de ne pas avoir d'enfants. Après tout, ils avançaient en âge. Une fois qu'ils ont pris cette décision, leur niveau de stress a chuté considérablement. Vous pouvez probablement deviner ce qui s'est passé par la suite: quelques mois après avoir abandonné l'»obligation» d'avoir un enfant, Janette était enceinte.

Nos cellules contiennent des récepteurs qui sont modelés de façon à recevoir des substances chimiques spécifiques, qui, lors de l'interaction avec les récepteurs, déclenchent certaines réactions. C'est tout comme une clé dans une serrure. Il vous est déjà probablement arrivé d'insérer une clé dans une serrure, mais la clé ne tournait pas. Elle glissait dans le trou de la serrure, mais c'était la mauvaise clé. Et pendant que la mauvaise clé était dans le trou de la serrure, vous ne pouviez pas utiliser la bonne clé. Comme l'avait noté le Dr John Lee, le cortisol et la progestérone se disputent les mêmes récepteurs cellulaires. Une fois qu'un des deux se lie à un récepteur, l'autre perd sa chance de faire de même.

Cela peut créer une situation intéressante et parfois déroutante. Selon votre analyse de sang, vous pourriez avoir des taux normaux de progestérone, cependant, comme le cortisol empêche la progestérone de se lier à son récepteur approprié, une grossesse ne peut survenir.

La relation de compétition entre le cortisol et la progestérone entraîne souvent des problèmes d'activité œstrogénique excessive (ou de «dominance en œstrogène»). L'œstrogène et la progestérone doivent être en équilibre mutuellement, la progestérone réduisant les effets d'un excès en œstrogène.

Pendant des périodes stressantes, il est possible d'avoir un excès de cortisol, une activité de progestérone affaiblie et des symptômes d'un excès d'œstrogène. Des taux élevés de cortisol pourraient donc être une cause importante de symptômes prémenstruels, mais qui est ignorée. Il faudrait mentionner un autre point: le cortisol peut en fait accroître la production d'œstrogène. Dr Natasha Turner décrit ce phénomène dans un excellent article destiné aux consommateurs dans la revue *Châtelaine*. Les effets de compétition du cortisol et de la progestérone relativement aux symptômes de la ménopause ont également fait l'objet de délibérations dans une variété d'études et dans bon nombre de livres excellents. Il y a lieu de se demander si cela peut expliquer pourquoi, dans la plupart des cas, le stress semble affecter les femmes beaucoup plus que les hommes.

Nous ne pouvons terminer cette section sans parler rapidement de la libido. Un nombre important de personnes témoignent d'une baisse de libido en période de stress. Le cortisol et les effets hormonaux en aval pourraient très bien être responsables de cette chute du désir sexuel. C'est ce que déclare Dr Melvyn Werbach d'une façon qui lui est propre: «Se lancer dans un comportement sexuel durant une fuite est contre-productif. C'est pourquoi une augmentation des taux de cortisol inhibe la sécrétion de toutes les principales hormones sexuelles.»

LE CORTISOL ET LA FONCTION DE LA THYROÏDE

Le stress peut avoir un effet majeur sur le fonctionnement de la thyroïde, et vice-versa. La relation entre la sécrétion de cortisol par la surrénale et la glande thyroïde est bien établie. Il existe un mécanisme de rétroaction entre les deux qui est essentiel à la survie. La thyroïde contrôle le métabolisme. Bref, elle contrôle la vitesse à laquelle s'exécute une variété de fonctions dans le corps, y compris la façon dont nous utilisons les calories.

En hypothyroïdie (fonction thyroïdienne ralentie), le corps utilise moins de calories. Les personnes aux prises avec une hypothyroïdie peuvent avoir de la difficulté à perdre du poids même si elles ne mangent pas à l'excès et font de l'exercice. Au fond, elles brûlent moins de calories à cause du ralentissement du métabolisme.

Pour garder le tout en perspective, il est important de noter que la glande thyroïde sécrète surtout l'hormone thyroïdienne T4, de même que de petites quantités d'une autre hormone thyroïdienne appelée la T3. Environ un tiers de la T4 est convertie en T3, qui est la forme la plus biologiquement active. On a prouvé que le cortisol diminue la conversion de T4 en T3. Donc, essentiellement, vous pourriez avoir des taux «normaux» de T4, mais en présence d'un excès de cortisol, la T4 pourrait ne pas se convertir efficacement en la forme active de T3.

Pour citer le Dr Werbach une fois de plus, «Cela soulève la question à savoir si une hypothyroïdie, qui est une affection courante dans notre société, pourrait être mieux traitée en optimisant la physiologie du stress plutôt qu'en employant une hormonothérapie de remplacement.»

Le cortisol est reconnu pour avoir des effets négatifs sur de nombreuses autres hormones ou sur des substances hormonoïdes (qui agissent d'une façon comparable à celle d'une hormone). La recherche démontre qu'un excès de cortisol joue un rôle dans les déséquilibres de la DHEA, des androgènes, de l'hormone de croissance semblable à l'insuline, ainsi que de l'hormone de croissance. L'hormone de croissance semblable à l'insuline, qu'on appelle également «facteur de croissance semblable à l'insuline», est une protéine qui est chimiquement très similaire à l'insuline, alors que l'hormone de croissance est sécrétée par l'hypophyse. Cette dernière stimule la croissance ainsi que la reproduction et la réparation des cellules chez l'humain. Ces deux hormones agissent de façon différente, mais complémentaire. L'hormone de croissance est requise afin de stimuler le foie à produire l'hormone de croissance semblable à l'insuline qui, à son tour, stimule la croissance ou la réparation surtout dans les muscles, les cartilages, les os et les nerfs. L'impact négatif du cortisol sur l'hormone de croissance semblable à l'insuline peut expliquer pourquoi le stress peut être si dommageable à la masse musculaire, aux articulations, aux os et aux nerfs.

Si vous souffrez d'un ensemble de symptômes associés au stress, si vos analyses de sang semblent indiquer que tout va bien, et si vous avez connu plusieurs événements de stress (rappelez-vous *l'Échelle d'évaluation du stress*), il se peut que vous souffriez des effets insidieux du stress sur l'équilibre hormonal.

LE CORTISOL ET LA RÉSISTANCE À L'INSULINE

Nous avons déjà discuté du rôle du cortisol dans l'augmentation du taux sanguin de glucose pour la production d'énergie nécessaire à la lutte ou à la fuite. Voilà comment l'impact d'un stress à long terme ou d'une réaction excessive à long terme au stress est associé au syndrome métabolique, ou Syndrome X.

Le Syndrome X est également connu sous plusieurs autres noms, notamment, le syndrome cardiométabolique, le syndrome de résistance à l'insuline, et, en Australie, l'acronyme très approprié de CHAOS (en anglais, «*coronary artery disease, hypertension, atherosclerosis, obesity, and stroke*») comprenant la maladie coronarienne, l'hypertension, l'athérosclérose, l'obésité, et les accidents vasculaires cérébraux. Le terme *syndrome* désigne plusieurs caractéristiques ou symptômes cliniquement identifiables qui se manifestent souvent ensemble. Ce n'est pas une maladie en soi, mais on l'utilise pour décrire un groupe de symptômes présents chez une personne. On pourrait également inclure dans la liste le syndrome de fatigue chronique, le syndrome de l'intestin irritable, et d'autres encore.

Les symptômes du syndrome métabolique comprennent:

- Obésité abdominale (graisse abdominale).
- Cholestérol LDL élevé (mauvais cholestérol).
- Cholestérol HDL faible (bon cholestérol).
- Taux élevé de triglycérides.
- Hypertension artérielle.
- Taux élevé de glycémie (diabète de type 2).

La plupart des gens développent ces symptômes individuellement et graduellement au cours de nombreux mois, voire même des années. Cette évolution graduelle du syndrome métabolique est sournoise. Vous commencez à développer un peu plus de graisse abdominale, peut-être dans les limites normales; le cholestérol LDL augmente d'une analyse de sang à l'autre, possiblement aussi le taux sanguin de glucose et celui des triglycérides. Tout semble correct jusqu'à ce que ces augmentations graduelles atteignent des niveaux anormaux. Une fois que deux ou trois valeurs se trouvent au-dessus des limites normales, le risque de maladie du cœur devient très élevé.

Il ne fait guère de doute que le stress, une mauvaise alimentation et la sédentarité sont les trois principaux piliers du syndrome métabolique. On nous sensibilise (je l'espère) aux bienfaits d'une alimentation saine et on nous encourage à demeurer actifs. Malheureusement, nous sommes rarement informés des effets désastreux d'avoir des surrénales épuisées et drainées.

CHAPITRE 6

Le stress, le cortisol, et l'intestin

DANS DE NOMBREUX CAS, un stress continu entraîne des effets majeurs débilitants. Le stress peut affecter plusieurs systèmes qui ne sont pas (apparemment) directement reliés. Il n'est pas simplement question de digestion, au contraire; c'est la digestion, et les hormones, et le sommeil, et la concentration, et le cholestérol, et le gain de poids, et... bien, vous voyez ce que je veux dire. Seuls les problèmes de digestion, toutefois, peuvent être un défi considérable pour mes patients.

Le stress sur les surrénales, avec la possibilité associée de taux de cortisol accrus, mène souvent à des difficultés digestives. Le cortisol peut affecter le transit intestinal et la perméabilité intestinale. Cela, en retour, peut conduire au développement d'intolérances alimentaires, de carences nutritionnelles, du syndrome du côlon irritable, de la fibromyalgie, et même des troubles d'anxiété.

LE CORTISOL ET LES ALLERGIES ALIMENTAIRES DE TYPE III

Il est important de faire la distinction entre allergies et intolérances alimentaires.

Différents types de réactions à certains aliments sont souvent appelées allergies ou intolérances alimentaires. Alors que ces termes sont souvent utilisés de façon interchangeable, ils sont nettement différents. D'une part, les vraies allergies alimentaires, également appelées «allergies alimentaires de type I», déclenchent une réaction immédiate et sont caractérisées par la présence d'un certain type d'anticorps appelés «IgE». Les anticorps IgE peuvent provoquer une augmentation des médiateurs inflammatoires appelés leucotriènes, ainsi que du TNF-alpha, ou facteur de nécrose tumorale alpha. Ce dernier peut également amplifier les effets du cortisol et augmenter le risque de résistance à l'insuline.

D'autre part, les intolérances alimentaires se produisent parce que le corps n'a pas les enzymes digestives nécessaires à la digestion d'un aliment en particulier. Les intolérances alimentaires courantes comprennent l'intolérance au gluten et l'intolérance au lactose.

Les allergies de type III (aussi appelées sensibilités alimentaires) sont très différentes des allergies de type I et des intolérances alimentaires. Comme les allergies de type I, elles comportent la production d'anticorps. Cependant, elles sollicitent les anticorps IgG, et non les anticorps IgE. En outre, ce type d'allergie peut produire une réaction retardée, parfois jusqu'à trois jours après avoir mangé l'aliment en cause. Il est donc difficile d'identifier le coupable. De plus, si vous souffrez d'allergies de type III, vous pourriez en fait avoir des envies subites de manger les aliments auxquels vous êtes sensibles. Consommer régulièrement des aliments auxquels vous êtes sensible peut, avec le temps, contribuer à un «intestin perméable». Pourtant, un intestin poreux peut aussi solliciter la formation d'anticorps IgG, entraînant ainsi une aggravation des allergies de type III. Cela peut mener à un cercle vicieux, et souvent frustrant, jusqu'à ce que les aliments responsables soient identifiés et évités.

Depuis plus de vingt ans maintenant, les cliniciens croient que les intolérances alimentaires sont impliquées dans une myriade de symptômes. Parmi des preuves bien documentées, on compte les atteintes aux voies respiratoires (rhinite, sinusite, et asthme); les maladies du tube digestif (ballonnements, crampes, nausées, constipation, diarrhée, côlon irritable, maladie de Crohn, et maladie cœliaque); les affections de la peau (eczéma, dermatite, acné, psoriasis); les atteintes au système nerveux central (migraines, maux de tête, vertiges, trouble déficitaire de l'attention avec hyperactivité, et dépression); les états arthritiques et inflammatoires (arthrite, fibromyalgie, crampes récurrentes); les troubles du métabolisme (diabète de type II, fatigue, troubles de thyroïde, gain de poids, et obésité); et l'hypertension.

Bien entendu, ces troubles peuvent être causés par d'autres facteurs, y compris le stress. Toutefois, les intolérances alimentaires sont souvent un facteur insoupçonné dans l'évolution de ces troubles. Le corps considère ces types d'aliments comme des agresseurs et tente de les détruire. Malheureusement, les mécanismes que le corps utilise sont des mécanismes qui nuisent aussi à nos cellules en santé. L'inflammation et les radicaux libres augmentent et causent à leur tour des dommages aux cellules saines.

Comme le stress peut mener au développement de réactions retardées aux aliments ingérés, c'est-à-dire des allergies de type III, l'identification et l'élimination des aliments coupables sont de la plus haute importance.

LE CORTISOL ET LES CARENCES NUTRITIONNELLES

Un stress continu et/ou des taux élevés de cortisol peuvent occasionner d'importantes carences en nutriments. Je vais aborder les carences plus en détail dans les chapitres suivants, mais je tiens à souligner que de nombreux symptômes associés au stress peuvent impliquer la perte de ces éléments nutritifs. Par conséquent, lorsqu'on traite du stress, il est important de reconnaître que des carences nutritionnelles sont probablement déjà présentes. Bien entendu, ces carences doivent être corrigées en vue de régresser les symptômes.

Vous avez probablement déjà entendu dire: «Vous êtes ce que vous mangez.» Ce n'est que partiellement vrai. Vous êtes le produit de ce que vous mangez, digérez, absorbez, ce que vous n'éliminez pas, et ce que vous gaspillez inutilement. Le stress entraîne une perte de nutriments, de vitamines, de minéraux, d'acides gras et d'acides aminés. Comme on a mentionné précédemment, la perte de n'importe quelle quantité de ces éléments peut également être responsable des symptômes associés au stress.

Le tableau ci-dessous répertorie les éléments nutritifs couramment appauvris par le stress.

NUTRI-MENT	EFFETS DE CARENCE	POURQUOI
MAGNÉ-SIUM	Signes de carence: asthme, crampes musculaires (surtout la nuit ou après un effort physique), arythmies, insomnie, troubles gastro-intestinaux, calculs rénaux, ostéoporose, anxiété, dépression, fatigue, maux de tête ou migraines, SPM, hypertension, et cholestérol élevé.	Comme il joue un rôle dans la relaxation des muscles et des nerfs, ainsi que dans la baisse de l'acidité dans le corps, le magnésium est probablement le nutriment le plus épuisé en période de stress.
VITAMINE B5	Signes de carence: fatigue, dermatite, sensation de brûlement aux pieds et/ou aux mains, engourdissement des extrémités, crampes musculaires, sensation de picotements, irritabilité, fatigue, lassitude, et mauvaise désintoxication d'alcool.	La vitamine B5, ou acide pantothénique, est nécessaire à la production d'hormones stéroïdiennes et au fonctionnement des surrénales. Elle améliore également les réactions au stress chez les personnes généralement en bonne santé.
POTAS-SIUM	Signes de carence: battement de cœur irrégulier, réflexes atténués, faiblesses musculaires, fatigue, soif, rétention d'eau, constipation, étourdissements, et troubles nerveux.	Le stress augmente la libération de minéralocorticoïdes par les glandes surrénales. À leur tour, ceux-ci provoquent une perte accumulée de potassium et supérieure à la rétention normale de sodium.

VITAMINE C	Signes de carence: fragilité capillaire et tendance aux ecchymoses, gencives qui saignent facilement, mauvaise guérison des plaies, manque d'appétit et croissance médiocre, ostéoporose, troubles de la peau, articulations sensibles et enflées, et infections à répétition.	La vitamine C aide le corps à gérer tous les types de stress. Les situations de stress (à la fois physique et émotionnel) appauvrissent rapidement les réserves de cette vitamine, car elle est requise dans la synthèse des principales hormones de stress du corps, y compris l'adrénaline et le cortisol.
TYROSINE	Signes de carence: dépression, hypothyroïdie, pression artérielle basse, syndrome des jambes sans repos, et vitiligo.	La tyrosine joue un rôle dans la production de l'hormone thyroïdienne thyroxine, ainsi que dans la production de l'adrénaline et de nombreux neurotransmetteurs.
ZINC	Signes de carence: acné; alopécie; sens de l'odorat et du goût affaiblis; guérison des plaies ralentie; immunité réduite (infections à répétition); infertilité; dépression; photophobie; cécité nocturne; troubles de la peau, des cheveux et des ongles; troubles menstruels; et douleurs articulaires.	Le cortisol augmente l'élimination du zinc via les urines.

FIBROMYALGIE, SYNDROME DE L'INTESTIN IRRITABLE, ET TROUBLES D'ANXIÉTÉ

La fibromyalgie et le syndrome de l'intestin irritable (SII) résultent tous deux de diagnostics d'élimination. Le diagnostic lui-même est une description des symptômes, sans aucune indication claire de la raison de la présence des symptômes.

Un trouble d'anxiété, ou «nervosité», comme on l'appelait dans le passé, comporte le même genre de diagnostic. La catégorie comprend le trouble d'anxiété généralisé (TAG), le trouble obsessionnel-compulsif (OCD), le trouble panique, le trouble de stress post-traumatique (TSPT), et la phobie sociale (ou trouble d'anxiété sociale). Il y a une augmentation importante dans cette catégorie de symptômes, y compris le trouble de stress post-traumatique (TSPT). Bien sûr, les raisons ne sont pas seulement physiologiques; elles sont également sociales et spirituelles.

Un des indicateurs de diagnostic de fibromyalgie est la présence de douleur dans au moins la moitié des 18 points de déclenchement indiqués. Cette douleur n'est pas essentiellement inflammatoire; en effet, lorsqu'on constate une inflammation, c'est souvent un effet secondaire et non une cause. Toute inflammation se caractérise par le suffixe «ite», comme «arthrite» ou «gastrite».

Le mot «fibromyalgie» est composé du suffixe «algie», qui signifie «douleur.» Quand on dit qu'une personne souffre de fibromyalgie, nous disons fondamentalement que ses fibres («fibro») musculaires («myo») font mal («algie»). Les patients atteints de fibromyalgie éprouvent de la douleur, mais il ne semble pas y avoir de raison pour cette douleur. En outre, la fibromyalgie est également souvent caractérisée par d'autres symptômes. Les patients éprouvent souvent des troubles de sommeil et de dépression. Dans la plupart des cas, les chercheurs admettent que les symptômes se déclenchent parfois à la suite d'un traumatisme physique, d'une chirurgie, d'une infection, ou d'un stress psychologique significatif.

RASSEMBLER LES ÉLÉMENTS

Rappelez-vous que le cortisol peut abaisser les taux de sérotonine. Comme nous le savons déjà, la sérotonine est importante pour un bon sommeil, pour réduire l'anxiété, et comme antidépresseur. Il est essentiel aux fins de cette discussion de se souvenir que la sérotonine agit dans le but de réduire la perception de la douleur.

Si vos taux de sérotonine sont faibles, vous pourriez avoir une perception accumulée de douleur et ressentir plus de douleur que nécessaire, peu importe la situation donnée. Un taux réduit de sérotonine pourrait aussi entraîner des troubles de sommeil et de dépression. En outre, si le stress est la cause du problème, non seulement les taux de sérotonine sont bas, mais les taux de magnésium le sont aussi, ce qui accroît les risques de douleurs musculaires, de dépression et d'insomnie.

Dans la majorité des cas, la fibromyalgie est un effet et non une cause. Mon travail clinique au cours des deux dernières décennies le confirme. Bien entendu, le stress est le plus souvent un élément déclencheur. Toutefois, chaque symptôme peut exacerber les autres symptômes. La manifestation de douleurs musculaires et un sommeil troublé sur une base assidue, avec l'incertitude quant aux causes de ces deux problèmes, peuvent entraîner la dépression comme conséquence de la chaîne entière d'événements.

UNE HISTOIRE DE FIBROMYALGIE

Rachelle avait reçu un diagnostic de fibromyalgie vers le milieu des années 1980. La fibromyalgie de Rachelle semblait avoir été déclenchée par un accident de voiture. Après cet événement stressant, plus rien ne semblait pareil. Rachelle avait énormément de difficulté à dormir, et ses muscles et ses articulations faisaient mal sans aucun signe d'inflammation.

La douleur et l'insomnie omniprésentes rendaient très laborieux l'accomplissement de ses tâches quotidiennes. Tout lui semblait de plus en plus difficile. Comme de nombreux examens physiques et analyses de sang ne donnaient aucune indication de troubles de santé, on lui avait dit qu'elle était «simplement déprimée». Bien qu'elle n'ait jamais pensé sérieusement à mettre fin à sa vie, Rachelle sentait qu'elle devenait de plus en plus un fardeau pour ses amis et sa famille. La situation était désastreuse.

Je lui ai recommandé un protocole nutritionnel pour atténuer les effets du stress et pour réparer ce qui était endommagé, ainsi que pour veiller à ce que de futurs éléments stresseurs n'affectent pas son corps. Nous avons vérifié si elle avait des intolérances alimentaires et des carences nutritionnelles et nous avons adapté son régime alimentaire en conséquence.

En aussi peu que quelques semaines, Rachelle dormait plus profondément qu'elle ne l'avait fait depuis des années. Son niveau d'énergie avait augmenté proportionnellement à son sommeil qui était de meilleure qualité. Sa douleur s'était graduellement estompée et revenait uniquement lorsqu'elle «trichait» sur son nouveau régime alimentaire santé. Elle était redevenue la «Rachelle» que tout le monde connaissait avant l'accident.»

UNE HISTOIRE D'INTESTIN IRRITABLE

Chaque année, je vois des centaines de patients qui sont atteints d'un trouble gastro-intestinal non spécifique. Cet état est qualifié d'»intestin irritable», lorsque les tests ne peuvent dépister aucune anomalie, exception faite de la présence d'un ou de plusieurs des symptômes suivants: crampes, douleurs abdominales, ballonnements, flatulences, diarrhée et constipation.

Claudia avait reçu un diagnostic de syndrome de l'intestin irritable (ou côlon irritable) à l'âge de 23 ans. Une étudiante en médecine avec d'excellentes notes, elle souffrait de flatulences, de ballonnements et de diarrhée. Les gaz et les ballonnements étaient «tolérables», mais la diarrhée ne l'était pas. Elle pouvait être atteinte de trois ou quatre épisodes par jour, souvent sans aucun avertissement et toujours en éprouvant une sensation d'urgence. Ses symptômes avaient débuté lors de sa première année universitaire et avaient augmenté en intensité et en fréquence au moment où elle était venue à mon cabinet. Claudia était parvenue au point où elle s'informait toujours de la disponibilité des toilettes partout où elle allait. À l'occasion, elle portait même des couches pour adultes par mesure de précaution!

Les gaz, les ballonnements et la diarrhée ruinaient sa vie sociale et académique. La situation s'était aggravée, du moins psychologiquement, lorsqu'une endoscopie, une colonoscopie, et un test de dépistage de la maladie cœliaque s'étaient avérés négatifs. Bien sûr, comme le stress empirait les symptômes ainsi que la fréquence des diarrhées, on avait dit à Claudia qu'elle avait besoin de repos et on lui avait prescrit un antidépresseur.

Heureusement, la mère de Claudia avait lu mon livre sur le candida et avait suggéré à sa fille d'envisager la possibilité d'une candidose (ou infection à la levure). Claudia avait pris de grandes quantités d'antibiotiques pour soigner son acné persistante.

Bien que le candida n'était pas un facteur dans les symptômes de Claudia, nous avons découvert qu'elle avait développé de nombreux symptômes correspondant à une carence en vitamine B3.

Une carence en vitamine B3, ou niacine, peut provoquer ce qu'on appelle les «3 D»: diarrhée, dépression (ou démence chez les personnes âgées), et dermatite.

Chose certaine, Claudia souffrait de diarrhée ainsi que de dermatite. Nous avions également constaté que Claudia, une friande du sucre, avait été considérablement affectée par une consommation excessive de sucre. Finalement, un test avait révélé une grave intolérance au blé, même si le test de dépistage de la maladie cœliaque n'avait pas été concluant.

Claudia a éliminé le blé de son alimentation et a suivi un programme nutritionnel pour réduire les envies de sucre, ce qui a facilité l'élimination du sucre de son régime en allégeant les symptômes de retrait, et lui a permis d'augmenter son apporté en vitamine B3 et d'équilibrer certains autres minéraux épuisés. Dans les quelques jours suivant l'élimination du blé, la diarrhée avait presque complètement disparue et l'état de la peau de Claudia s'était amélioré.

Le stress avait déclenché une foule de réactions et causé des carences nutritionnelles, qui devaient toutes être rétablies. Ces agents stressants incluaient les exigences académiques qui lui avaient été imposées comme étudiante en médecine, ainsi que les carences nutritionnelles graves survenues suite à un régime alimentaire particulièrement médiocre. Je croyais à ce moment-là et je crois toujours que Claudia avait éprouvé un stress très intense pendant son enfance ou son adolescence. Lorsque je lui ai soumis l'hypothèse, elle est devenue très inconfortable et a changé de sujet. Ce stress, si en effet il a existé, peut avoir contribué à l'affaiblissement de ses surrénales, mais nous ne le saurons peut-être jamais. Aujourd'hui, Claudia n'éprouve plus aucun symptôme, deux mois seulement après avoir entamé son nouveau programme nutritionnel. Quand elle triche, et ça arrive à l'occasion, elle sait à quoi s'attendre. Les symptômes de Claudia ont été déclenchés par le stress.

UNE HISTOIRE DE TROUBLE D'ANXIÉTÉ

Les symptômes de troubles d'anxiété sont essentiellement ceux d'une réaction anormale ou disproportionnée au stress. L'anxiété est une réaction normale au stress et peut effectivement être utile dans certaines situations. Cependant, pour quelques personnes, l'anxiété peut devenir excessive. Alors que la personne qui souffre peut réaliser que son anxiété est trop grande, elle pourrait aussi avoir de la difficulté à la maîtriser et cela pourrait avoir des répercussions négatives dans sa vie au quotidien.

Alex était pasteur d'une petite congrégation et un intellectuel typique (j'oserais même dire un «rat de bibliothèque»). Les membres de sa congrégation l'appréciaient pour sa sagesse et sa patience. Ses voisins prenaient plaisir à écouter ses propos et son épouse l'appuyait sur tous les points.

La plupart ne savaient pas que cet homme pieux luttait contre les démons de l'anxiété. Alex était agité. Son sommeil était ponctué de périodes d'anxiété et Alex se réveillait souvent en panique à cause de son battement de cœur effréné. Il commençait à ressentir moins d'empathie pour ses fidèles. Alex était de moins en moins capable de tolérer les demandes de sa congrégation et de ses amis.

Il était en mesure de comprendre les besoins qui lui étaient présentés, mais il réagissait de façon excessive. Lorsqu'il était confronté aux problèmes d'un couple en détresse conjugale, devait réconforter un membre de sa congrégation plongé dans le deuil, ou préparer un sermon, il sentait son visage rougir, son cœur commençait à battre plus fort, et il savait que son sommeil serait agité.

Son médecin lui avait dit qu'il faisait de l'hypertension artérielle et de l'arythmie. Alex ne voulait pas prendre de médicaments sauf si c'était absolument nécessaire. D'ailleurs, il voulait découvrir la cause de ses réactions, et pas seulement dissimuler les symptômes. Un membre de la congrégation d'Alex avait offert de lui payer une consultation à ma clinique.

Pendant que je parlais avec Alex, je réalisais en effet que cet homme brûlait la chandelle par les deux bouts. Il n'avait pas vraiment pris de vacances depuis plus de dix ans, et son alimentation était horrible. De plus, Alex et son épouse voulaient avoir des enfants. Toutefois, les deux étaient infertiles et le piètre salaire d'Alex ne leur permettait pas d'opter pour des traitements de fertilité ou l'adoption.

J'ai expliqué à Alex que ses problèmes étaient d'ordre physiologique, et non psychologique. Le fait qu'il avait essayé de se contrôler devant les membres de sa congrégation, chose qu'il avait faite avec beaucoup de succès jusqu'à présent, démontrait que sa psyché était en bon état. Ainsi, le médecin avait raison de suggérer la médicamentation. Toutefois, les médicaments et le diagnostic ne nous avaient pas révélé pourquoi Alex avait ces symptômes ou comment il pouvait réduire ou éviter l'utilisation de médicaments. Mon objectif était d'aider Alex à comprendre les effets du stress sur son corps, de façon à ce qu'il puisse apporter les changements nécessaires à son style de vie et à son alimentation dans le but de corriger la cause et d'éliminer les symptômes.

Pensez-y: si, comme Alex, vous êtes suffisamment conscient pour réaliser que votre réaction est anormale et que vous êtes suffisamment en contrôle pour tenter d'atténuer la réaction, votre état psychologique se porte alors très bien.

Une réaction excessive d'ordre «psychologique» est souvent le corps, ou plus précisément les surrénales qui réagissent excessivement au stress. Alors que les facteurs psychologiques jouent en effet un rôle important dans la réponse au stress, les facteurs physiques, qui sont tout aussi importants, sont souvent négligés. J'ai expliqué à Alex que ses réactions, son insomnie, les battements de cœur rapides, et les tensions musculaires seraient tous normaux s'il était vraiment en situation de danger. Le problème n'était pas sa réaction en soi, mais plutôt le fait qu'il réagissait tout simplement de façon excessive.

Avant un burnout, lorsque les surrénales ont été surmenées, souvent celles-ci commencent à réagir de manière démesurée au stress. Cette réaction exagérée à des agents stressants normaux est souvent qualifiée comme étant de l'anxiété ou une attaque de panique. C'était le problème d'Alex; il souffrait de ce que le Dr James Wilson avait pertinemment qualifié de «fatigue surrénale».

J'ai convaincu Alex qu'il devait prendre de vraies vacances. Je lui ai demandé de prendre du temps pour lui seul, et de se rappeler l'avertissement du psalmiste: «Arrêtez, et sachez que je suis Dieu.» Nous avons donc amélioré son régime alimentaire afin que ses glandes surrénales soient «nourries» adéquatement, et nous avons convenu qu'il devait informer les membres de sa congrégation de ce qui se passait, pour que ces derniers cessent de lui imposer des demandes inutiles.

L'état d'Alex s'est amélioré rapidement; le fait même qu'il ait compris pourquoi il réagissait de façon excessive abaissait déjà son niveau de stress. Son sommeil et son énergie se sont tous deux améliorés. Six mois plus tard, le changement était évident. Alex n'avait aucune idée que le stress pouvait causer tant de dommages physiologiques. Il m'a déclaré que sa propre expérience l'aidait à comprendre les autres.

CHAPITRE 7

Règles à suivre
pour s'adapter au stress

LE CONTENU DE CE CHAPITRE, bien que bref, pourrait être la clé pour vous aider à réduire les effets des événements de stress survenus dans le passé, et à préparer votre corps de façon à ce que les événements de stress à venir ne soient pas aussi dommageables. Comme dans toute autre chose, la gestion du stress exige que nous respections certaines règles de biologie. Chaque règle ci-dessous sera utile en général et permettra de suivre plus facilement chaque élément de mon plan antistress.

RÈGLE #1: COMPRENDRE LE PROCESSUS DU STRESS

1. Le stress est tout événement qui fait en sorte que le corps ou l'esprit modifie ses habitudes. Le stress peut être émotionnel, environnemental, hormonal, immunitaire, physique ou psychologique.

2. Le corps réagit de la même façon à tout changement ou à tout stress, que ce dernier «semble» bon ou mauvais.

3. En situation de stress, le corps se prépare à lutter ou à fuir. Il augmente toutes les fonctions qui peuvent l'aider dans le combat ou la fuite et il diminue toutes les autres fonctions qui ne sont pas nécessaires au combat ou à la fuite.

4. De nos jours, lorsque la réaction de lutte ou de fuite est sollicitée, nous ne pouvons ni lutter ni fuir dans la majorité des cas.

5. L'impact du stress sur le corps est cumulatif, tout comme la goutte d'eau qui fait déborder le vase.

6. L'effet cumulatif du stress est insidieux. Alors que le stress augmente, le corps change, les carences nutritionnelles se développent, certaines glandes commencent à changer la façon dont elles fonctionnent, certaines actions qui sont importantes en période de stress continuent à s'exécuter, même lorsqu'il y a peu ou pas de stress.

7. L'impact du stress est principalement biochimique et physiologique.

RÈGLE #2: SOUVENONS-NOUS DE PASCAL

Blaise Pascal était un mathématicien, un physicien et un philosophe du 17e siècle. Bien qu'on se souvienne de lui pour ses découvertes scientifiques, ses œuvres philosophiques ont eu un effet beaucoup plus durable sur notre culture.

Pascal a écrit: *«Qui essaie de faire l'ange finit toujours par faire la bête.»* Le message de Pascal est que nous ne sommes pas désincarnés. Nous ne pouvons et d'ailleurs ne devrions pas tenter d'agir comme des anges.

Le lendemain de notre première consultation, une de mes patientes savait ce qu'elle devait faire. Elle savait que le stress accumulé était un facteur majeur dans sa vie et elle connaissait les agents stressants qui continuaient de la miner. Donc, la première chose qu'elle a faite a été d'appeler son patron pour lui dire qu'elle démissionnait. La seconde a été de dire à son copain/colocataire de vivre ailleurs. Or, ni l'une ni l'autre de ces décisions n'était mauvaise en soi. En effet, son patron n'avait jamais respecté ses talents et abusait de son temps et de son énergie. Son copain, qui était aussi son colocataire, n'amenait rien de constructif à leur relation et lui prenait énormément de son temps et de son énergie. En faisant ces changements, elle tentait de réduire son niveau de stress.

Voici le problème: en quittant son emploi, elle perdait son salaire. En perdant son salaire, elle créait un nouveau stress qui était un manque d'argent. Elle pouvait vivre sur ses économies, mais elle devait maintenant se trouver un nouvel emploi qui devenait aussi un stress. Par conséquent, elle n'avait pas éliminé son stress; elle avait simplement modifié la façade de son stress. En ce qui concernait son colocataire, même s'il était un imbécile totalement inutile (ses propres termes, pas les miens), il défrayait quand même une partie du loyer. Donc, non seulement elle était maintenant sans emploi, mais elle devait à présent payer deux fois plus de loyer chaque mois. En essayant d'éliminer le stress, elle en avait créé un tout nouveau.

De nombreuses personnes, lorsqu'elles se rendent compte de l'impact du stress sur leur vie, veulent l'éliminer à tout prix. Elles veulent jeter le bébé, l'eau du bain, et en plus la baignoire par la fenêtre! Toutefois, cela peut s'avérer stressant. Donc, avant de vous décider à éliminer tout ce qui vous stresse, interrogez-vous sur les nouveaux événements de stress qui pourraient survenir.

À retenir: Faites ce que vous pouvez, changez ce qui est nécessaire, n'exagérez pas, et n'utilisez pas ce que vous venez de lire comme excuse pour en faire trop peu.

RÈGLE #3: SOUVENEZ-VOUS DE LA CHAISE

Comme avec tout autre problème de santé, le stress est multifactoriel. On pourrait comparer le stress et les outils nécessaires pour le gérer à une chaise. Le siège de votre chaise est constitué de votre patrimoine génétique ainsi que d'autres caractéristiques immuables. Toutefois, la chaise possède quatre pattes qui peuvent toutes influencer l'état de vos surrénales. Une patte représente l'exercice, la deuxième le repos, la troisième est composée des aspects psychospirituels, et la quatrième est la nutrition. Or, qu'arrive-t-il si vous êtes assis sur la chaise et une des pattes est plus courte ou plus longue que l'autre?

Lorsqu'il s'agit de combattre le stress, nous devons aborder (évaluer) tous les facteurs en cause. On peut changer certaines choses rapidement, mais d'autres prendront plus de temps. C'est correct... en autant que toutes les pattes soient équilibrées avant de tomber en bas de la chaise! Le processus complet peut être long, mais il doit être entrepris du début jusqu'à la fin. Pour certains, il s'agit d'un effort de toute une vie, car il y a beaucoup à changer. Rappelez-vous, tout est bien à condition que vous amorciez le processus.

RÈGLE #4: MANGEZ MIEUX

La nutrition peut être votre allié le plus précieux. Les aliments que nous mangeons ont des effets substantiels sur les niveaux de stress, ainsi que sur nos surrénales. Bien qu'il existe de nombreux agents stressants que nous ne pouvons contrôler dans l'immédiat, et d'autres que nous ne serons jamais en mesure de contrôler, nous *pouvons* gérer comment et ce que nous mangeons. Une bonne nutrition est essentielle à une gestion efficace du stress.

RÈGLE #5: COMMENCEZ L'ADAPTATION AU STRESS MAINTENANT

Nous sommes nombreux à trouver des excuses pour remettre systématiquement au lendemain ce que l'on doit faire aujourd'hui. Le stress n'attend pas et ne s'arrête pas, et les effets sont cumulatifs. C'est à vous seul que revient la décision finale d'apporter les modifications nécessaires pour gérer votre stress. Commencez dès maintenant.

Les chapitres suivants contiennent chacun une section intitulée «Modifications simples à faire MAINTENANT». Ces sections offrent de simples changements peu coûteux, qui peuvent être appliqués immédiatement; adoptez-les d'emblée pour vous aider à gérer votre stress et ses effets négatifs.

CHAPITRE 8

Les éléments nutritionnels clés pour la gestion du stress

LORSQUE JE DONNE UNE CONFÉRENCE à des élèves du secondaire, je m'amuse à leur demander: «Quelle est la chose la plus intime que vous faites?» Invariablement, j'entends des rires dans l'auditoire. Ils se rendent vite compte que ce n'est pas ce qu'ils pensent quand je leur déclare: «C'est manger! Qu'est-ce qui peut être plus intime que votre relation avec ce que vous mangez? Après tout, ce que vous ingérez devient une partie de vous-même!» Pensez-y: chaque particule de votre corps, que ce soit les cellules de votre cerveau, les neurotransmetteurs, les hormones, les anticorps, les os, la peau, ou les cellules de votre appareil digestif, de votre système respiratoire ou de vos organes génito-urinaires, tout est fait à partir de ce que vous mangez.

Les nutriments jouent trois rôles dans le corps. Ceux comme les protéines, les lipides et les glucides servent de source d'énergie. Ils constituent également les éléments de base dans la formation de nos cellules. C'est là le rôle des protéines, de certains lipides et de certains minéraux. Enfin, d'autres nutriments spécifiques agissent comme catalyseurs et sont nécessaires pour déclencher l'accélération, le ralentissement ou l'arrêt de diverses réactions dans le corps. Parmi les nutriments catalyseurs, on trouve les acides aminés, les vitamines, les minéraux et les oligo-éléments.

Le rôle de chaque nutriment est absolument crucial. Malgré cela, la majorité des discussions et de l'éducation sur la nutrition tendent à être limitées aux nutriments catalyseurs. Utilisons comme analogie une voiture. L'essence est votre source d'énergie. Le métal et le caoutchouc sont les éléments de base de votre corps. Les bougies d'allumage sont les catalyseurs. Si ces trois éléments ne fonctionnent pas tous correctement, votre voiture ne peut démarrer.

C'est pourquoi il est si important de préférer les aliments entiers et non transformés aux aliments raffinés. Les grains entiers regorgent de calories (le carburant) et de protéines, et fournissent les catalyseurs requis pour qu'ils soient métabolisés adéquatement. Lorsque vous consommez un aliment raffiné, votre corps doit puiser dans ses réserves de nutriments qui pourraient servir ailleurs dans le corps. Les choix alimentaires avec sucres raffinés sont particulièrement de mauvais choix lorsqu'il s'agit de gérer le stress.

LES «SUGAR BLUES»

Peu d'aliments sont aussi synonymes de détente que les aliments sucrés ou les boissons alcoolisées. L'alcool est à la base un sucre super-raffiné. Les aliments sucrés envoient un message au cerveau, signalant le plaisir. Cette réponse peut être due à des préférences pour des aliments à haute teneur en gras et en sucre et riches en énergie, qui se sont développées à des fins de survie. Bref, le sucre est requis par l'organisme durant une réaction de lutte ou de fuite.

La majorité du sucre consommé par les Américains est raffiné. Il regorge de calories et est satisfaisant au goût, mais il est dénudé des nutriments dont a besoin le corps pour l'utiliser efficacement. Manger du sucre raffiné réduit en fait les nutriments essentiels à une réaction saine au stress. Ces nutriments incluent la vitamine B3 (niacine), la vitamine B5, la vitamine B6, le chrome, le magnésium et le zinc.

La vitamine B5 est nécessaire au métabolisme des glucides. Cela signifie que plus vous consommez de sucre, plus vous avez besoin de vitamine B5. Comme les glucides raffinés ne contiennent pas de vitamine B5, le corps doit alors se servir de la B5 qu'il aurait utilisée pour une autre fonction. La vitamine B5 étant requise pour le bon fonctionnement des surrénales, la consommation de glucides raffinés et l'appauvrissement en B5 qui en résulte peuvent inhiber les fonctions surrénaliennes.

Les sucres raffinés ont également un effet négatif sur l'équilibre de la glycémie. La surconsommation de sucres et de glucides raffinés (pain blanc, le riz blanc, etc.) oblige le pancréas à sécréter de l'insuline en excès. Avec le temps, cette hyperstimulation force le pancréas à produire de l'insuline en trop, ce qui diminue la glycémie. À ce stade, les glandes surrénales doivent travailler pour ramener l'équilibre du taux de glycémie. Le pancréas et les surrénales se retrouvent tous deux surmenés dans ce scénario.

UNE TRISTE HISTOIRE DE SUCRE

Nicholas est un jeune garçon intelligent, âgé de 8 ans; certains diraient qu'il est un génie. Malheureusement, on lui a diagnostiqué un trouble déficitaire de l'attention avec hyperactivité. Et, comme avec de nombreux enfants, on lui a prescrit le Ritalin. Si nous regardons de près le régime alimentaire de ce pauvre enfant, une chose ressort immédiatement. Nicholas est nourri de quantités excessives de sucre au petit déjeuner. Il raffole d'une des céréales les plus populaires sur le marché pour le petit déjeuner, qui est composée de presque 50 pour cent de sucre. Oui, vous avez bien lu. Nicholas ingère donc une quantité abominable de sucre vers 8h00 le matin. Vers 10h00, son taux de sucre sanguin chute et ses surrénales réagissent afin de maintenir son taux de sucre sanguin à un niveau normal. Alors que ses surrénales sont en pleine réactivité, Nicholas est inondé d'hormones de stress. Il devient agité, il a du mal à se concentrer, et tout son corps est prêt à lutter ou à fuir. Bref, il ne faut pas s'étonner s'il n'arrive pas à se concentrer sur ce que dit l'enseignant!

Pour le lunch, les choses s'améliorent un peu. Nicholas reçoit un sandwich de viande froide avec pain blanc et un jus de fruit qui contient seulement 10% de jus naturel. Sucre, sucre, sucre, et plus de sucre encore. Bien sûr que Nicholas est hyperactif! Son alimentation est remplie de sucre en trop et déficitaire en protéines, ainsi que la plupart des nutriments essentiels. Nicholas mange probablement plus de sucre que le bûcheron typique il y a 100 ans, et pourtant on lui demande de rester tranquille, de ne pas bouger, et d'écouter attentivement.

Il y a cent ans, les Américains consommaient tout au plus 30 livres de sucre par personne annuellement. Il faut noter que c'était aussi une époque caractérisée par un niveau d'activité de cinq à dix fois plus élevé que les moyennes d'aujourd'hui. À l'heure actuelle, les Américains consomment environ 100 livres de sucre par personne chaque année. Cela se traduit par environ 30 cuillerées à thé de sucre par jour! D'autres sources indiquent des niveaux de consommation considérablement plus élevés. Selon Linda Tarr Kent, auteure de l'article «*What Diseases Come From Eating Too Much Sugar*» (traduction: «Quelles maladies viennent de manger trop de sucre») (LiveStrong.com), «la consommation de sucre par habitant en 2010 avait presque atteint 132 livres, par rapport à... environ 12 livres au début des années 1800.»

Le tableau de tendances ci-dessous compare l'augmentation de la consommation de sucre par rapport à la réduction de l'activité physique. Il est clair que ces deux valeurs vont dans la mauvaise direction, et deviennent complexes entre elles.

CONSOMMATION DE SUCRE VS ACTIVITÉ PHYSIQUE

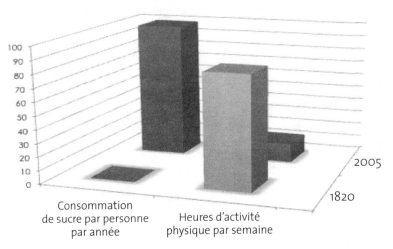

Gardez à l'esprit que ces valeurs incluent tous les sucres en provenance de toutes les sources alimentaires, et pas seulement la cuillérée à thé de sucre blanc que vous ajoutez à votre café ou le sucre dans votre boisson gazeuse. Vous seriez surpris de savoir les quantités de sucres dans de nombreux aliments "non sucrés".

Ce tableau met en évidence la quantité de sucre "caché" dans un régime alimentaire typique et apparemment sain.

ALIMENT	Équivalent en SUCRE en c. à thé
PETIT DÉJEUNER	
Jus d'orange – 1 tasse	7
Céréales Raisin Bran – 1 tasse	5
Lait écrémé – 1/2 tasse	1
COLLATION DE LA MATINÉE	
Yogourt aux bleuets – 1 tasse	6
REPAS DU MIDI	
Jus de pomme – 1 tasse	10
Sandwich au fromage	1
Pêche – 1 moyenne	2
COLLATION D'APRÈS-MIDI	
Frappé au yogourt	13
SOUPER	
Pizza – 1 tranche	1
Lait d'amande à la vanille	3
Laitue romaine avec vinaigrette	2
TOTAL	**51**

La liste de "mauvais choix" et de "meilleurs choix" suivante comprend des types d'édulcorants selon le niveau de raffinement et l'index glycémique (IG). L'indice glycémique représente la vitesse à laquelle le sucre pénètre dans la circulation sanguine. Plus l'index glycémique est bas, meilleur est le choix. Ce que je qualifie de "mauvais" sucres sont ceux ayant l'indice glycémique le plus élevé ainsi que le plus grand impact négatif sur vos glandes surrénales et sur leur capacité à s'adapter au stress. Ce sont ces types de sucre que vous devriez tenter d'éviter le plus possible.

Les sucres de "meilleur" choix causent moins de dommages et une tension nutritionnelle beaucoup moins élevée sur le corps. Toutefois, tout type de sucre consommé en excès est nuisible à la santé. Non seulement une consommation accrue de sucre nuit à notre capacité à gérer le stress, mais elle augmente aussi le risque d'obésité, de maladies cardiovasculaires et de diabète. De nouvelles recherches suggèrent également que le sucre pourrait avoir les mêmes effets que l'alcool sur le foie.

MAUVAIS CHOIX: caramel, sirop de maïs, dextrose, fructose, galactose, glucose, mélasse claire, sirop de glucose à haute teneur en fructose, sucre inverti, lactose, maltodextrine, maltose, sirop de raffinerie, saccharose et tréhalose.

MEILLEURS CHOIX: sirop de malt d'orge, mélasse noire, sirop de riz brun, sucre de noix de coco, miel, maltitol, sirop d'érable, vesou brut, xylitol.

Le stress lui-même affecte les mécanismes de régulation de la glycémie du corps. «L'efficacité de la corticosurrénale qui sécrète l'adrénaline pourrait éventuellement être compromise, à cause d'une excitation continuelle due à un stress prolongé, et donc l'adrénaline pourrait ne pas être produite en quantité suffisante pour augmenter au besoin le taux de sucre. Le résultat net de tout cela est un mécanisme de réaction au stress défectueux, jumelé d'hypoglycémie», écrivait Carl Pfeiffer dans le livret intitulé «*Mental and Elemental Nutrients*» (traduction: «Nutriments élémentaires et mentaux»).

Ma première recommandation nutritionnelle, et la plus importante, est de réduire la consommation de glucides raffinés, dont les sucres de la liste des «mauvais choix», la farine raffinée, et les produits de riz blanc. Si vous devez manger quelque chose de sucré, essayez de le consommer avec des protéines afin de diminuer son effet sur le taux de glycémie. La consommation de protéines avec des glucides est recommandée pour diverses raisons. D'abord, si vous mangez des protéines avec vos glucides, vous vous sentirez rassasié plus rapidement et vous mangerez alors moins de glucides. Ensuite, l'expérience d'un nombre important de professionnels de la santé suggère que la consommation de protéines avec des glucides diminue la vitesse à laquelle ces derniers sont absorbés dans la circulation sanguine. Cela permet de réduire les montées brutales (pointes) de glycémie suivies d'une chute rapide. Lorsque le taux de glycémie chute trop, les surrénales doivent intervenir pour maintenir les taux de glycémie, et celles-ci deviennent encore plus stressées.

LA PROTÉINE : PAS SEULEMENT POUR LES CULTURISTES

Le terme *protéine* vient du grec ancien *prôtos* qui signifie *premier, essentiel*. En effet, la différence entre les objets inanimés comme une pierre et les objets animés comme les plantes ou les humains est la présence de protéines.

Protéines fournissent une source d'acides aminés, une catégorie nutritionnelle importante. Tous les neurotransmetteurs, les enzymes, les hormones, et les anticorps sont constitués d'acides aminés. Nos os sont également composés d'acides aminés; le calcium constitue seulement environ 15 à 18 % du poids sec de nos os! Les acides aminés font aussi partie de nos cartilages et des protéines de la peau (collagène et élastine).

Les protéines sont une source majeure d'énergie, et les tissus constitués de protéines sont sans cesse sollicités pour de l'énergie en période de stress et lorsque le taux de glycémie est trop bas. C'est ce qu'on appelle la gluconéogenèse (GNG). La GNG est une voie métabolique qui mène à la synthèse du glucose à partir de précurseurs non-glucidiques tels que les acides aminés. Lorsque le corps a besoin de générer du «nouveau» glucose, il peut dégrader ses propres tissus à base de protéines pour les utiliser comme source d'énergie. Ce phénomène est qualifié d'»auto-cannibalisme.» Dans ce cas, le corps cause des dommages à court terme afin d'assurer une survie à long terme.

Donc, oui, les protéines sont très importantes, et non, nous n'en consommons peut-être pas assez. Comme je l'ai mentionné dans la première partie de ce chapitre, notre apport en sucre a augmenté de façon alarmante, variant d'environ 30 à 100 livres par personne annuellement. Qu'est-ce qui est pire encore, c'est que cette hausse dans la consommation de sucre ne correspond pas à l'augmentation requise de l'apport protéique et de l'activité physique.

Où peut-on obtenir plus de protéines? Les sources de protéines concentrées incluent les produits laitiers, les œufs, le poisson, les légumineuses (haricots), les viandes, les noix, la volaille, et les graines, ainsi que les mollusques et les crustacés. Les œufs et les haricots sont une excellente source de protéine et bon marché.

Une consommation suffisante de protéines contribue à compenser pour les déséquilibres du taux de glycémie et les dommages aux tissus touchés par le stress. Une étude récente a démontré qu'une supplémentation en protéine améliorait la réaction du corps au sucre chez des personnes en santé. Une autre révélait qu'une augmentation modeste de l'apport en protéine, accompagnée d'une réduction de la consommation d'aliments à IG élevé, avait mené à une amélioration dans la perte de poids.

Selon la plupart des statistiques, les adultes aux États-Unis devraient obtenir 10 à 35 pour cent de leurs calories journalières en aliments protéinés. Dans les situations de stress, je recommande d'aller chercher le maximum, ce qui équivaut à environ 46 grammes de protéine par jour pour les femmes et de 56 grammes pour les hommes. Cela peut sembler beaucoup, mais ce n'est pas le cas. Seulement huit onces de protéine animale fournissent 28 grammes de protéine. Une petite portion de noix mélangées procure sept grammes, et un œuf ou quelques cuillérées à soupe de beurre d'arachide fournissent un autre six grammes de protéine. En faisant attention un peu, nous pouvons aisément consommer la bonne quantité de protéine pour aider à gérer les effets du stress.

TENEUR EN PROTÉINE DES ALIMENTS POPULAIRES

ALIMENT	QUANTITÉ	PROTÉINE (grammes)
Viande, volaille ou poisson	30 g (1 oz)	7
Œuf entier	1 gros	6
Pois ou haricots secs	125 ml (1/2 tasse)	7
Fromage (cheddar), faible en gras	30 g (1 oz)	7
Tofu ferme	85 ml (1/3 tasse)	7
Noix mélangées	60 ml (1/4 tasse)	7
Beurre d'arachide (non sucré)	15 ml (1 c. à table)	4

L'IMPORTANCE DE L'ÉQUILIBRE ACIDO-BASIQUE

Vous avez peut-être entendu dire qu'un excès de protéine est nuisible. En effet, la protéine est acide et favorise un milieu acide. Un trop grand apport en protéine a été lié à l'arthrite, à des troubles du sommeil, à un risque accru de calculs rénaux, et à une panoplie d'autres troubles. Qu'est-ce qui fait qu'un excès d'acide est si dangereux et pourquoi l'équilibre acido-basique est-il si important?

Tous les liquides ont un certain degré d'acidité ou d'alcalinité, qui se mesure par le potentiel hydrogène (pH). La plage des valeurs de l'échelle du pH varie de 0 à 14, où «0» est extrêmement acide, «14» est extrêmement alcalin, et «7» est neutre, ni acide ni alcalin.

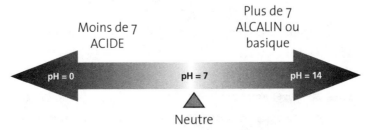

Le pH de nos cellules est aussi important que le pH de notre sang. Quiconque a travaillé avec des produits chimiques de piscine sait que de légères fluctuations du pH peuvent causer des problèmes importants. Tous les bons boulangers savent qu'un changement dans le pH d'une recette modifie considérablement le résultat final.

Oui, nos corps sont comme des petits gâteaux! Tout déséquilibre dans notre pH a un effet sur les réactions chimiques physiologiques qui nous donnent de l'énergie, nous aident à réparer les cellules, ou nous aident à nous adapter au stress. Les réactions chimiques requises pour soutenir la vie, pour produire de l'énergie, et pour favoriser la réparation, toutes sont tributaires d'un pH cellulaire adéquat. Pour un fonctionnement optimal, nous devons maintenir un pH légèrement alcalin.

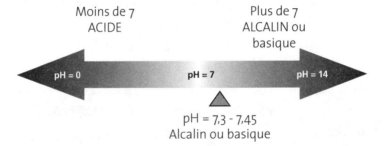

Nos modes de vie actuels tendent à favoriser un environnement acide pour notre corps. Parmi les facteurs les plus dommageables, il y a le manque d'exercice (ou trop), une alimentation acidifiante, le stress, de même que certaines carences nutritionnelles, comme le calcium, le magnésium, le potassium et le manganèse. Le simple fait de vieillir peut également rendre notre corps plus acide.

Lorsque le corps devient trop acide, un éventail de symptômes se développe graduellement. Dans de nombreux cas, on jette le tort sur le fait qu'on vieillit. Bien que le vieillissement soit en effet un élément dans ce phénomène, l'acidose est généralement un facteur de santé qui peut être contrôlé. Lorsqu'il s'agit de stress, il est difficile de déterminer si une acidose correspond à une cause ou à un effet. Cependant, le stress augmente diverses fonctions, tout en en réduisant d'autres. Lorsque nous sommes stressés, les reins retiennent le sodium, mais éliminent le potassium, le calcium et le magnésium. Même si le sodium est un minéral alcalinisant, la perte des trois autres accroît le risque d'acidité. Le cortisol est lui aussi acidifiant, ce qui signifie qu'une hausse à répétition de cortisol peut rendre le corps plus acide. De plus, l'augmentation de la dégradation des tissus protéiniques élève la quantité d'acide urique, rendant le corps encore plus acide. Règle générale, le stress accroît la charge acide de l'organisme de plusieurs façons qui peuvent être facilement mesurées.

Un corps acide est un corps "stressé". D'ailleurs, un des facteurs causant le plus d'acidification dans le corps, à l'exception de l'alimentation, est le stress. Le terme *acidose subclinique* est utilisé pour décrire ce type d'acidité excédentaire dans les cellules.

QU'EST-CE QUI CAUSE L'ACIDOSE?

LA PRÉDISPOSITION GÉNÉTIQUE

Dans les années 1980, le chercheur français, Jean-Georges Henrotte, a découvert que l'habileté du corps à retenir le magnésium est en partie génétique. Présentée à l'Académie nationale des Sciences des États-Unis, son étude soulignait des variables génétiques qui affectaient la rétention du magnésium chez certains sujets.

Il se trouve que le magnésium est l'un des minéraux tampons (qui réduit l'acidité) les plus indispensables dans le corps humain. La recherche démontre un lien direct entre les taux de magnésium dans le corps et le facteur de «stressabilité». Une carence en magnésium augmente de façon considérable la stressabilité. Par conséquent, des sous-groupes de la population pourraient être à risque d'être à la fois plus facilement stressés et aussi plus facilement acides en raison de leur prédisposition génétique à une rétention du magnésium.

LE STRESS

Le stress réduit le pH à un environnement plus acide de plusieurs façons. Le cortisol augmente la perte, via les urines, du calcium, du magnésium et du potassium, soit les minéraux alcalins les plus importants du corps. Le cortisol accroît également l'acide gastrique (chlorhydrate), ce qui explique les brûlures ou les ulcères d'estomac qui peuvent se développer en période de stress.

LES TAUX D'HORMONES

Certains déséquilibres hormonaux peuvent augmenter la perte de magnésium ainsi que le risque d'acidose subclinique. Bien que des taux normaux d'œstrogène rehaussent en réalité l'utilisation du magnésium, on a démontré que l'œstrogène en trop entrave le métabolisme du magnésium. Certains contraceptifs ont un effet encore plus grand sur la réduction des taux de magnésium.

TROP D'EXERCICE

L'exercice peut contribuer à apporter des changements favorables à notre pH en améliorant la circulation (à la fois vasculaire et lymphatique) et l'oxygénation. Par contre, trop d'exercice peut augmenter le risque d'acidose subclinique de deux façons. La pratique excessive d'un exercice, comme avec toute forme de stress, peut mener à une accumulation d'acide dans les tissus de l'organisme. De plus, une fois que le seuil du lactate est dépassé, l'acide lactique peut s'accumuler dans le sang et les muscles.

UNE ALIMENTATION DÉSÉQUILIBRÉE

On ne peut trop insister sur l'importance de la nutrition lorsqu'il s'agit de l'équilibre acido-basique. Chaque aliment possède une valeur qui est acide, alcaline, ou neutre. Cette valeur provient de la variété de substances qui composent l'aliment en question. Les quantités et les rapports de vitamines, de minéraux, d'oligo-éléments, d'acides gras, et d'acides aminés, tous influencent les résidus acides ou alcalins après consommation.

Chose étonnante, les aliments qui peuvent goûter acide ne sont pas toujours parmi ceux qui laissent des résidus acides après la digestion et l'absorption. Le chercheur allemand, Dr Thomas Remer, a élaboré une méthode pour évaluer l'acidité ou l'alcalinité relative des aliments que nous mangeons. L'indice PRAL (de l'anglais *Potential Renal Acid Load*) indique la charge acide rénale potentielle en mesurant la quantité d'acide sécrétée par les reins. L'indice PRAL est exprimé en milliéquivalent (mEq). Plus l'indice PRAL d'un aliment est élevé, plus la charge acide sur le corps est élevée.

Des chercheurs, notamment Remer, ont également commencé à documenter les effets très négatifs des aliments à indice PRAL élevé sur la santé des enfants et des adultes en général. Cette recherche figurant dans la revue *Journal of the American Dietetics Association* donne un bon synopsis: http://ajcn.nutrition.org/content/77/5/1255.abstract

Dr Anthony Sebastian, un autre chercheur, a évalué l'indice PRAL de nos ancêtres par rapport au nôtre. Sebastian a constaté que l'indice est passé de -88 mEq par jour à une moyenne de 48 mEq aujourd'hui, une augmentation de 60 points! Rappelez-vous que plus l'indice PRAL d'un aliment est élevé, plus la charge acide sur le corps est imposante. À -88 mEq, nos ancêtres avaient une diète TRÈS alcaline, donc à +48 mEq en moyenne de nos jours, nous avons une diète très acide.

De nombreux chercheurs avancent l'hypothèse qu'une charge acide accrue est un facteur majeur dans l'augmentation des maladies dégénératives dans notre société d'aujourd'hui. Bien entendu, cela joue aussi un rôle capital dans l'accroissement de la réaction du corps au stress, ainsi que la réduction de la capacité du corps à récupérer d'événements stressants aigus très intenses ou chroniques à long terme.

NOTES IMPORTANTES SUR L'ÉQUILIBRE ACIDO-BASIQUE

1. Vous ne pouvez pas (et ne devriez pas) éliminer tous les aliments acidifiants. Par contre, il est possible d'assurer un bon équilibre entre ces aliments et les aliments alcalinisants. Cet équilibre à préférer varie selon les sources de renseignements. Ma recommandation est un ratio de 60 pour cent d'aliments alcalinisants à 40 pour cent d'aliments acidifiants. Il ne faut jamais avoir un régime alimentaire qui dépasse 50 % en aliments acidifiants.

2. Les aliments alcalinisants devraient être prédominants dans votre alimentation. Le potentiel alcalinisant de tout aliment, surtout pour les fruits, dépend de la qualité du sol agricole, du type de fertilisant utilisé (compost versus fertilisant standard), et de la maturité du fruit ou du légume au moment de la cueillette.

3. Une façon simple d'être certain d'avoir une diète alcaline est de veiller à ce que le repas du midi et le repas du soir se composent en majorité de légumes, avec 25 pour cent de protéines.

4. Dépannage rapide: Éliminez les aliments trop acides tels que les boissons gazeuses et les boissons aux fruits, car elles offrent peu ou pas de valeur nutritive et contiennent beaucoup de calories vides.

Si vous êtes comme la plupart des gens et que vous avez une diète américaine standard (de l'anglais Standard American Diet - SDA), votre régime alimentaire est beaucoup plus acidifiant qu'alcalinisant. Il n'est pas surprenant de voir une si grande incidence de maladies dégénératives! Toutefois, altérer le ratio n'est pas difficile. Pour le petit-déjeuner, mangez des œufs, de la viande et des fruits avec une seule tranche de pain. Pour le repas du midi ou le repas du soir, renoncez totalement au pain, coupez les féculents de moitié, et doublez les aliments verts.

Équilibrer le rapport acido-basique est particulièrement crucial lorsque vous êtes confrontés aux effets du stress. Le tableau ci-dessous fournit une liste non exhaustive d'aliments acidifiants et alcalinisants. Vous pouvez utiliser cette information pour faire les choix nutritifs les plus sains afin de soutenir la santé et la gestion du stress.

TABLEAU DES ALIMENTS ALCALINS/ACIDES

Alcalins	Acides	Neutres	Variable
GRAINS DE CÉRÉALES (utilisés dans la fabrication des céréales pour petit déjeuner, des pâtes, des pains, des biscuits, des tartes, des bagels, etc.)			
Millet et grains de céréales germés	Tous les grains de céréales sauf le millet (sarrasin, maïs, avoine, riz brun, épeautre, kamut, riz blanc, seigle, blé entier, farine blanche, farine enrichie) et tous les produits qui en découlent.	Riz sauvage.	
LÉGUMES Y compris les herbes aromatiques et les épices.			
Tous les légumes sauf les pommes de terre et les tomates.			Les pommes de terre et les tomates peuvent être acides ou alcalines selon le type et les conditions du sol. Dans le cas des tomates, cela dépend aussi si ce sont des tomates mûries sur pied ou non.
FRUITS			
Tous les fruits sauf les canneberges, les raisins, les citrons, les limettes; et les oranges qui n'ont pas mûri dans l'arbre.	Canneberges; fraises lorsqu'elles n'ont pas été cueillies à l'état mûr.		Pamplemousses, citrons, limettes, et oranges; fraises selon la période où elles ont été cueillies.

ALCALINS	ACIDES	NEUTRES	VARIABLE
NOIX			
Amandes et marrons.	Toutes les noix sauf les amandes et les marrons.		
GRAINES			
Graines germées et graines de citrouille.	Toutes les graines, y compris le quinoa, sauf les graines germées et les graines de citrouille.		
LÉGUMINEUSES (haricots)			
Produits de soya germé ou fermenté.	Toutes les légumineuses, y compris les arachides et le soya non fermenté.		
LAITAGES			
Certains yogourts et kéfirs fermentés, biologiques, de haute qualité, et fromage cottage faible en gras; lactosérum de chèvre.	Tous les produits laitiers élevés en gras et tous les produits laitiers "transformés" faits de solides de lait et de sous-produits du lait.	Tous les produits laitiers faibles en gras non trans-formés.	La protéine de lactosérum, dépendant de la qualité de la protéine utilisée et du procédé de fabrication, peut être acidifiante, neutre ou légère-ment alcaline.
POISSON			
	Tous les poissons.		
FRUITS DE MER, MOLLUSQUES ET CRUSTACÉS			
	Tous les fruits de mer, mollusques et crustacés.		

CHAPITRE 9

Xéno quoi?

CE LIVRE TRAITE DU STRESS et de ses effets sur la santé. Toutefois, je manquerais à mon devoir si je n'abordais pas la question de la surcharge chimique et de ses répercussions sur la santé. Rappelez-vous, le stress est non seulement psychologique, il peut aussi être physique, environnementale, et oui, chimique. Depuis des décennies, les écologistes nous mettent en garde contre l'impact négatif que peuvent avoir divers polluants chimiques sur notre santé. De ce fait, les gens de la communauté de la santé naturelle soulignent constamment l'importance de consommer des aliments de culture biologique et des produits fabriqués à partir d'ingrédients naturels. En fait, si vous vous rendez dans un magasin d'alimentation santé, vous verrez une panoplie d'aliments, de soins de beauté et de produits de nettoyages exempts de substances chimiques. Pourtant, même si nous sommes vigilants dans nos efforts à éviter ces toxines environnementales, notre fardeau corporel chimique continue de s'accumuler, souvent avec des conséquences catastrophiques sur la santé.

Je suis conscient de l'impact de ces agents chimiques sur la santé de notre planète ainsi que sur la santé humaine depuis de nombreuses années. Toutefois, la publication récente de deux articles souligne la gravité du problème. Le premier est un article paru dans la prestigieuse revue médicale britannique *The Lancet*

Oncology, sur le potentiel cancérigène de multiples substances chimiques présentes dans l'air pollué à travers le monde entier. L'autre était un communiqué de presse d'octobre 2013 de l'Agence internationale de recherche sur le cancer de l'Organisation mondiale de la santé, qui déclarait que «l'air que nous respirons est devenu pollué par un mélange de substances cancérigènes». Pourtant, même si le message a été livré clairement, il continue de tomber dans l'oreille d'un sourd.

XÉNOBIOTIQUE, UN NOUVEAU MOT PAS SI NOUVEAU QUE ÇA

Les scientifiques ont créé le terme *xénobiotique* pour décrire les substances chimiques auxquelles nous sommes régulièrement exposés. Le terme vient du grec «*xenos,*» signifiant «étranger» et «*bio*» signifiant «vie». Fondamentalement, un xénobiotique est une substance chimique étrangère qui est présente dans notre composition biochimique normale, et pour laquelle nous n'avons aucun processus métabolique spécifique. En d'autres termes, le corps n'a pas les outils spécifiques nécessaires pour combattre ces substances chimiques. Bien que certains xénobiotiques puissent être produits à l'intérieur du corps, la plus grande partie de l'exposition provient de l'environnement autour de nous. Certains chercheurs laissent entendre que nous sommes actuellement exposés à environ 100 000 substances xénobiotiques synthétiques.

Un certain nombre d'études cliniques ont révélé que les substances chimiques xénobiotiques affectent différentes parties du corps de diverses façons. Par exemple, les xénobiotiques pourraient être un facteur important dans le développement de la fibromyalgie et de la fatigue chronique. Il existe également des preuves indiquant qu'ils sont directement reliés aux sensibilités chimiques et aux allergies environnementales. Certaines études suggèrent qu'une anomalie dans les voies de détoxification du corps pourrait jouer un rôle dans la maladie de Parkinson, de même que dans la maladie d'Alzheimer. D'autres études ont associé une mauvaise détoxification au développement d'allergies alimentaires et respiratoires.

Comme de nombreux xénobiotiques ont démontré une activité mimétique de l'œstrogène, ils jouent vraisemblablement un rôle dans les maladies oestrogénodépendantes. Étant donné le nombre croissant de personnes qui souffrent des maladies susmentionnées, l'impact des xénobiotiques, et notre capacité à minimiser leur absorption ou à éliminer ceux qui ont été absorbés, ont des ramifications incommensurables.

LA SOURCE DES XÉNOBIOTIQUES

Généralement, les toxicologues vérifient la relation dose-effet de chaque substance chimique. Selon ces analyses, ils ont établi la quantité "acceptable" de divers agents chimiques dans les aliments que nous ingérons, dans l'air que nous respirons et dans l'eau que nous buvons. Cependant, les humains sont exposés à une myriade de substances chimiques à l'intérieur d'un même repas, lorsqu'ils utilisent le même produit, ou dans la même journée. Pourtant, l'effet global et cumulatif n'est jamais évalué.

En Amérique du Nord, la charge de xénobiotiques est considérable: les additifs alimentaires (tels que les colorants et arômes synthétiques, ainsi que les agents de conservation), les fongicides, les pesticides, les herbicides, les antibiotiques et les résidus hormonaux, les produits chimiques industriels, et même les produits pharmaceutiques qui font leur chemin dans notre environnement. Pas étonnant que le corps soit incapable de répondre adéquatement à cet affront!

Pour vous donner une idée de l'ampleur du phénomène, permettez-moi de vous parler d'une étude dans laquelle des femmes enceintes à travers les États-Unis ont été soumises à des analyses à des fins de dépistage de 163 substances chimiques différentes dans leur corps. Les chercheurs de l'Université de Californie à San Francisco ont analysé les données de 268 femmes enceintes prenant part à une enquête sur la santé, la *National Health and Nutritional Examination Survey* (NHANES) 2003–2004. Étonnamment, les chercheurs ont constaté que 99% des femmes présentaient des quantités décelables de substances chimiques toxiques, y compris des substances qui avaient été bannies depuis les années 1970. Quatre-vingt-dix-neuf pour cent de ces femmes avaient des niveaux décelables de perchlorate, un produit chimique utilisé comme carburant pour les fusées. Ces femmes avaient également des niveaux toxiques des produits ignifuges polybromodiphényléthers (PBDÉ), ainsi que de DDT, un pesticide banni aux États-Unis depuis 1972.

LA SOLUTION

Heureusement, on peut minimiser l'impact que peuvent avoir ces substances chimiques sur notre santé. Le concept de la détoxification, utilisée par les professionnels de santé traditionnels, a toujours fait partie d'une approche naturelle envers la récupération de la santé. Hippocrate, considéré comme "le père de la médecine", déclarait: "Tout d'abord, ne fais pas de mal." Toutefois, la seconde partie de ce dicton citait, "Ensuite, purifie." Selon Hippocrate, la détoxification était presque aussi importante que de ne pas faire de mal.

La détoxification, ou aider le corps à se débarrasser des xénobiotiques, est d'une importance capitale dans la réduction de la charge "toxique" dans le corps, surtout parce que nous sommes envahis par une multitude de substances chimiques dans notre environnement que nous ne pouvons contrôler. Cependant, afin d'accomplir ceci de façon efficace, il nous faut suivre quelques principes simples.

1. DÉTOXIQUEZ EN DOUCEUR.

À cause de la surcharge considérable de xénobiotiques dans notre société moderne, il est important d'entreprendre un programme léger de détoxification. Il ne faut pas remuer trop de toxines à la fois. Vos organes d'élimination, c'est-à-dire les reins, le foie et les intestins, pourraient avoir de la difficulté à gérer ce niveau d'élimination en une seule fois.

2. DÉTOXIQUEZ RÉGULIÈREMENT.

Traditionnellement, les herboristes recommandaient la détoxification deux fois par année, au printemps et à l'automne. Malheureusement, la surcharge xénobiotique est considérablement plus élevée qu'elle ne l'était lorsque ces recommandations ont été adoptées initialement. Une détoxification en douceur, mais régulière, aussi souvent qu'une semaine chaque mois ou tous les deux mois, peut être une approche qui respecte la réalité moderne de façon beaucoup plus efficace.

3. DÉTOXIQUEZ DE FAÇON ASTUCIEUSE.

Les formules qui aident à détoxiquer devraient non seulement favoriser l'élimination des toxines, mais doivent également prendre en charge les organes participant au processus de détoxification. Ces formules devraient contenir des ingrédients éprouvés dans le temps, notamment:

Le **chardon-Marie** est une des plantes les plus importantes pour soutenir la détoxification. Des études révèlent que non seulement le chardon-Marie protège les cellules du foie (hépatocytes) des dommages chimiques, mais cette plante favorise également la régénération saine des cellules du foie.

D'autres plantes purifiantes naturelles comme la *racine de pissenlit* et l'*artichaut* se sont aussi avérées avoir des effets positifs sur les fonctions du foie et des reins. Enfin, le *curcuma* a démontré à la fois ses effets antiinflammatoires et hépatoprotecteurs.

Certains nutriments affichent aussi des bienfaits pour protéger et soutenir le foie. Parmi ces nutriments, on a la *vitamine B5* (acide pantothénique), ainsi que le *magnésium*, le *sélénium* et le *zinc*. En tant que précurseur de l'enzyme glutathion, l'acide aminé cystéine est essentiel à une bonne détoxification. Une grande part de l'efficacité de l'*Extrait d'ail vieilli*[MC] relativement au soutien et à la détoxification du foie est attribuée à la présence de cystéine.

4. ÉLIMINEZ LES SOURCES DE XÉNOBIOTIQUES AUTANT QUE POSSIBLE

Une bonne santé ne peut être atteinte que par le biais d'un mode de vie sain. Comme vous avez pu constater, la détoxification faite sur une base régulière est essentielle. Toutefois, savoir où se trouvent les xénobiotiques et comment les éviter peut aussi aider à réduire la charge corporelle. Voici quelques suggestions utiles.

- Évitez tout colorant, arôme, agent de conservation et édulcorant artificiels.
- Mangez des aliments qui se situent au bas de la chaîne alimentaire; plus un aliment s'approche de son état naturel, moins il contient des toxines.
- Mangez des aliments issus de culture biologique autant que possible.

- Sélectionnez des cosmétiques et des produits de soins personnels qui utilisent des ingrédients naturels. Évitez ceux contenant des ingrédients à base de pétrole ou des agents chimiques qui libèrent du formaldéhyde.

- Évitez d'utiliser des produits d'entretien ménager, des produits pour la lessive ainsi que des assainisseurs d'air à base d'ingrédients chimiques. Achetez plutôt des produits biodégradables exempts de substances toxiques et faits d'ingrédients naturels.

- Buvez de l'eau de source ou de l'eau filtrée.

- Remplissez votre maison et votre environnement de travail de plantes d'intérieur qui absorbent les vapeurs toxiques de l'air. Les plantes-araignées, les fougères Roosevelt, les lierres et les dracénas sont faciles à faire pousser et procurent un contrôle naturel de la pollution de l'air.

Comme les xénobiotiques sont omniprésents dans notre monde moderne, il est crucial de se protéger contre leurs effets nocifs. Éviter l'exposition peut diminuer les toxines qui s'accumulent dans le corps, alors qu'une détoxification de routine peut aider à se débarrasser de celles qui sont stockées.

CHAPITRE 10

Votre plan de supplémentation pour réussir

DANS CE CHAPITRE, je traite plus particulièrement des vitamines, des minéraux, des acides aminés et des nutraceutiques qui sont les plus épuisés et qui ont le plus grand impact relativement aux problèmes de stress physiologique. Alors que chaque substance mériterait d'avoir un chapitre à elle seule, je vais plutôt mettre l'emphase sur le rôle que joue chaque supplément pour aider l'organisme à lutter contre le stress ou à récupérer de ses effets négatifs.

VITAMINE B3 (NIACINE, NIACINAMIDE)

La vitamine B3 est une vitamine hydrosoluble unique dans la mesure où elle possède une qualité hormonale. L'organisme peut fabriquer une certaine quantité de vitamine B3 à partir de l'acide aminé tryptophane, bien que ce ne soit pas en quantité suffisante pour répondre à tous ses besoins.

La vitamine B3 participe à la synthèse, de même qu'à la dégradation par le foie, de diverses hormones stéroïdiennes, y compris le cortisol, la testostérone, l'estradiol et la progestérone.

Dans la revue *Orthomolecular Medicine for Physicians*, le Dr Abram Hoffer, psychiatre lauréat et un des pères de la médecine orthomoléculaire et de la psychiatrie, suggère que la vitamine B3

(niacine) devrait être considérée comme une vitamine «antistress».
La niacinamide, une forme de vitamine B3, s'est également avérée
posséder des effets anxiolytiques (tranquillisants) semblables aux
benzodiazépines, un médicament tranquillisant populaire. Bien
entendu, cela expliquerait en partie ses effets «antistress».

Le corps a besoin de vitamine B3 pour métaboliser les protéines,
les lipides et les glucides. La B3 travaille en synergie avec l'oligo-
élément chrome en tant qu'élément du facteur de tolérance au glucose (*glucose tolerance factor – GTF*) pour aider l'organisme à utiliser
l'insuline efficacement. Cela est d'une importance particulière pour
quelques raisons. D'abord, la résistance à l'insuline, qui est un effet
secondaire d'une réaction prolongée au stress, est une des causes
du syndrome métabolique, ou Syndrome X. Le facteur de tolérance
au glucose permet de réduire le risque de résistance à l'insuline.
Ensuite, une meilleure utilisation de l'insuline permet de contrôler
les envies de sucre qui sont souvent reliées à l'insulinorésistance.

La niacine est offerte au moins sous deux formes: la niacine
et la niacinamide. La niacinamide est la forme de vitamine B3 que
je préfère, parce qu'elle ne provoque pas la libération d'histamine,
qui se manifeste souvent sous forme de bouffées congestives (rou-
geurs subites au visage et au cou), causée par la vitamine B3 sous
forme de niacine. Bien que les bouffées congestives ne soient pas
dangereuses, elles sont désagréables et parfois embêtantes.

VITAMINE B5 (ACIDE PANTOTHÉNIQUE)

La vitamine B5 est convertie en coenzyme A (CoA) dans le corps.
Cette coenzyme possède un éventail de rôles, allant de la production d'énergie à la désintoxication de l'alcool par le foie.

Cette vitamine joue des rôles importants relativement au stress.
D'abord, la vitamine B5, ou acide pantothénique, est requise pour

la synthèse des hormones stéroïdiennes, y compris le cortisol. L'importance accordée à l'acide pantothénique pour les fonctions surrénaliennes est mise en évidence par le fait qu'une supplémentation en acide pantothénique peut avoir un effet curatif sur la nécrose surrénalienne. Le fait que la nécrose (ou la mort) des cellules surrénales peut être prévenue et même renversée en utilisant cette vitamine souligne l'importance de cette dernière pour les surrénales. Un autre effet majeur de la vitamine B5 est qu'elle contribue en réalité à atténuer les effets négatifs du stress sur le corps.

Il est intéressant de noter que les symptômes les plus communs d'une carence en vitamine B5 sont l'irritabilité, la fatigue et l'apathie, tous des symptômes associés au "burnout" et à des niveaux de stress élevés.

VITAMINE C (ACIDE ASCORBIQUE)

La vitamine C est probablement la plus connue de toutes les vitamines, en grande partie grâce au travail du défunt Dr Linus Pauling. Bien que ce nutriment soit en réalité une hormone chez la plupart des animaux, certaines espèces, y compris les primates non humains, les cochons d'Inde, les chauves-souris frugivores, et oui, les êtres humains, sont incapables de synthétiser la vitamine C et doivent donc l'obtenir de l'alimentation. Les bienfaits de cette vitamine sont étendus, allant de son rôle vital dans la production du collagène et de l'élastine à son rôle immunitaire, la cicatrisation des plaies, et comme antioxydant.

Ce qui nous intéresse ici, c'est son rôle dans les fonctions surrénales et dans le stress. Bien que la vitamine C soit présente dans chaque partie du corps, il est intéressant de noter qu'elle se concentre le plus dans les glandes surrénales. La vitamine C est requise au bon métabolisme de l'acide aminé tyrosine, à la synthèse de l'hormone thyroïdienne thyroxine, et à la production de sérotonine, d'adrénaline et de cortisol.

Voici une remarque importante pour les fumeurs: on a démontré que le renouvellement de la vitamine C dans le corps est 50 pour cent plus élevé chez les fumeurs que les non-fumeurs, ce qui laisse entendre que les fumeurs pourraient avoir besoin de deux fois plus de vitamine C que les non-fumeurs afin de maintenir l'apport minimal de vitamine C requis pour être en santé. Dans de nombreux cas, une supplémentation en vitamine C est le seul moyen de combler cette perte importante causée par le tabagisme.

MAGNÉSIUM

Il est difficile de surestimer l'importance du magnésium pour la santé humaine. L'étendue considérable du champ d'activité de ce minéral provient du fait qu'il participe à plus de 300 divers systèmes enzymatiques dans le corps. Il est requis dans l'activité normale des muscles, la transmission neuronale, la synthèse de l'ARN et de l'ADN, l'initiation et le maintien du sommeil, la régularisation de la température du corps, et la santé des os et des dents. «Le magnésium est une superstar de la nutrition lorsqu'il s'agit de maladies cardiovasculaires,» selon le livret «*Drug-Induced Nutrient Depletion Handbook*».

Chose intéressante, une étude publiée dans une revue psychiatrique nationale a souligné le rôle d'une carence en magnésium dans la hausse du risque d'anxiété et de dépression. La recherche préliminaire suggère même que le magnésium peut diminuer la fréquence et la sévérité des bouffées de chaleur chez les femmes ménopausales.

Malheureusement, ce minéral extrêmement important est un des minéraux les plus appauvris dans notre régime alimentaire et souvent un des plus oubliés d'un point de vue clinique. Notre intérêt pour le magnésium découle du fait qu'une carence en magnésium peut mener à une plus grande *stressabilité*, qui entraîne à son tour une plus grande perte en magnésium. Il y a lieu également de préciser qu'on sait depuis longtemps qu'une carence en magnésium peut aboutir à une insuffisance surrénalienne chez les personnes sensibles.

Il ne faut pas se surprendre que l'on puisse interchanger les principaux symptômes reliés au stress avec les symptômes reliés à une carence en magnésium:

ANXIÉTÉ/ATTAQUES DE PANIQUE: Selon la recherche, une carence en magnésium peut déclencher l'angoisse. De nombreux cliniciens auraient administré une supplémentation en magnésium pour réduire l'anxiété. Certains chercheurs suggèrent également une corrélation entre une carence en magnésium et des attaques de panique.

BRUXISME (GRINCEMENT DE DENTS): Le bruxisme est le grincement des dents pendant le sommeil ou en période de stress, et est associé depuis des décennies à une carence en magnésium.

CHOLESTÉROL: Une carence en magnésium peut prédisposer une personne à un cholestérol élevé en raison du fait que les enzymes du foie participant au métabolisme du cholestérol requièrent du magnésium. En outre, une révision excellente de la littérature scientifique faite par deux chercheurs américains laisse entendre que le magnésium est presque aussi efficace que les statines pour traiter le cholestérol élevé et qu'il ne cause aucun des effets secondaires des statines.

CRAMPES MUSCULAIRES: Le magnésium est nécessaire à la détente des muscles et des nerfs. À cet effet, une carence en magnésium se manifeste souvent sous forme de crampes dans les jambes, surtout pendant la nuit ou le sommeil, ainsi qu'après l'exercice dans de nombreux cas.

CRISES D'ASTHME: Bien qu'une susceptibilité génétique à certaines maladies ainsi que les sensibilités et les allergies alimentaires à retardement jouent un rôle majeur dans l'asthme, une carence en magnésium peut ouvrir la voie à une bronchoconstriction aggravée, ce qui pourrait déclencher une crise d'asthme.

DÉPRESSION: Bien entendu, la dépression est généralement multifactorielle. Cependant, peu de nutriments, à l'exception possiblement des vitamines B, ont autant d'effets positifs sur la dépression que le magnésium.

DOULEUR: Des chercheurs ont démontré qu'une carence en magnésium peut mener à une baisse du seuil de douleur et qu'une supplémentation en magnésium améliore la sensibilité à la douleur.

FATIGUE: Le magnésium est essentiel à la production de l'ATP, une molécule dont la fonction est de fournir de l'énergie aux cellules. Bien qu'un des signes de carence en magnésium puisse être l'hyperactivité, une carence en magnésium entraîne généralement la fatigue.

HYPERTENSION ARTÉRIELLE: Le magnésium contribue à détendre les muscles, y compris ceux qui contrôlent les vaisseaux sanguins. Une carence en magnésium peut donc entraîner une raideur dans les vaisseaux sanguins, qui, par ricochet, augmente la tension artérielle.

INSOMNIE: Le magnésium est nécessaire pour déclencher et maintenir le sommeil. Par conséquent, une carence en magnésium peut affecter la durée et/ou la qualité du sommeil.

IRRITABILITÉ/AGITATION: Le magnésium aide à détendre les muscles et les nerfs. Ainsi, ce minéral est très utile pour atténuer l'irritabilité.

MAUX DE TÊTE: Une carence en magnésium facilite la manifestation de maux de tête, et une supplémentation s'est prouvée très efficace à les contrôler, surtout s'ils sont causés par un excès d'œstrogènes, une tension musculaire cervicale, ou l'hypertension.

MIGRAINES: Une carence en magnésium prépare le terrain aux facteurs qui favorisent les maux de tête, y compris la libération de neurotransmetteurs et la vasoconstriction. Ceux qui souffrent de migraines ont habituellement des taux sériques et des teneurs tissulaires faibles en magnésium par rapport à ceux qui n'ont pas de migraines.

OSTÉOPOROSE: Le magnésium est nécessaire dans le métabolisme du calcium et de la vitamine D. Il est également requis dans la formation de l'hydroxyapatite, un minéral osseux. C'est pourquoi il joue un rôle vital dans la santé osseuse.

Lorsqu'il est question de stress et de magnésium, nous sommes confrontés à un cercle vicieux. C'est pourquoi la seule manière d'intervenir dans une situation comme celle-ci, c'est avec une supplémentation en magnésium. L'impact positif d'une supplémentation en magnésium sur les personnes qui ont souffert ou qui souffrent actuellement de stress est d'une grande portée. Une telle supplémentation est un des trois piliers complémentaires pour appuyer les gens souffrant de symptômes associés au stress.

TYROSINE

La tyrosine est un acide aminé non essentiel, car le corps peut le produire à partir d'un autre acide aminé, la phénylalanine. La demande en tyrosine augmente considérablement en période de stress. Cet acide aminé est requis pour la synthèse de la thyroxine et de l'adrénaline, ainsi que de la protéine mélanine qui est un pigment de la peau. Des taux faibles de tyrosine sont reliés à la dépression, à une pression artérielle basse, à une température corporelle basse, et à une thyroïde hypoactive.

Une supplémentation en tyrosine présente d'excellents résultats, surtout pour réduire les effets physiques du stress. Dans son ouvrage remarquable intitulé «*The Healing Nutrients Within*», le Dr Eric Braverman note que la tyrosine «mérite d'être appelée l'*acide aminé du stress*».

Les personnes qui souffrent de migraines à répétition ne devraient pas utiliser la tyrosine. Celles souffrant de cancer de la peau ou d'hypothyroïdie régulière (maladie de Graves) devraient également éviter la tyrosine, ainsi que les personnes prenant des antidépresseurs inhibiteurs de la MAO.

EXTRAIT D'AIL VIEILLI[MC]

Si on pouvait attribuer le mot panacée à un seul supplément, ce serait l'Extrait d'ail vieilli[MC] (EAV). Rares sont les suppléments, sinon aucun, qui ont bénéficié d'un si grand nombre d'études scientifiques publiées dans les grandes revues prestigieuses. Aucun n'a démontré un tel éventail d'effets, lesquels sont tous corroborés par des études scientifiques sérieuses. Plus de 700 publications scientifiques ont mis en évidence l'efficacité de l'Extrait d'ail vieilli[MC].

L'Extrait d'ail vieilli[MC] et le magnésium sont les suppléments les plus prescrits dans notre clinique. J'utilise l'Extrait d'ail vieilli[MC] pour mes enfants, pour mes patients, et pour moi-même depuis plus de 25 ans. Bien que j'aie travaillé avec de nombreuses marques de suppléments au fil des ans, l'EAV a toujours été le seul supplément pour lequel je n'ai jamais dévié ni changé d'opinion.

L'Extrait d'ail vieilli^MC n'est pas votre aliment ou supplément d'ail habituel. Ce supplément d'ail unique a subi des changements chimiques considérables grâce à un procédé de maturation naturel qui dure près de deux ans. L'EAV est fabriqué aux États-Unis à partir d'ail de culture biologique et vieilli dans des cuves en acier inoxydable pendant un maximum de 20 mois. Durant la période de maturation, des réactions enzymatiques transforment l'ail en Extrait d'ail vieilli^MC.

Cette méthode est similaire à la transformation des raisins en vin ou du lait en yogourt, bien que la comparaison soit loin d'être parfaite. Durant le procédé de maturation, les composés amers et instables de l'ail, y compris l'allicine, sont convertis en composés sûrs et bénéfiques. L'EAV n'a pas cette odeur âcre et désagréable qu'on retrouve habituellement, et c'est pourquoi on le surnomme souvent l'»*ail sociable*». Bien entendu, je n'ai absolument rien contre l'ail comme aliment. Je suis moitié Italien après tout! Néanmoins, le procédé de maturation crée effectivement un supplément totalement nouveau. L'illustration ci-dessous explique certains des effets du procédé de maturation.

COMMENT EST VIEILLI L'EXTRAIT D'AIL VIEILLI^MC DE KYOLIC®

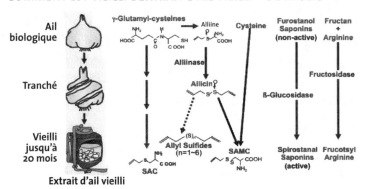

Gracieuseté de Dr Amamgase et de Wakunaga

Tel que mentionné précédemment, on a démontré que l'EAV possède une gamme étendue de bienfaits. N'ayez crainte, je ne vous ennuierai pas avec les quelque 700 publications qui mettent en valeur l'efficacité de l'Extrait d'ail vieilli^MC, mais j'aimerais souligner brièvement certains de ses bienfaits documentés.

ANTICANCÉREUX

Je parle ici des bienfaits préventifs et protecteurs de l'EAV contre le cancer, et non de ses effets thérapeutiques. Les médecins utilisent l'EAV comme complément à la cancérothérapie. Un groupe de patients souffrant d'un cancer inopérable avaient reçu l'EAV pendant six mois, et leurs fonctions immunitaires s'étaient grandement améliorées.

ANTIOXYDANT

L'Extrait d'ail vieilli^MC a affiché une activité antioxydante majeure. L'un des effets est dû à la présence de S-allylcystéine, un précurseur fondamental du glutathion. La S-allylcystéine contenue dans l'EAV possède un taux d'absorption de 98 %.

HÉPATOPROTECTEUR

On a découvert que l'Extrait d'ail vieilli^MC protégeait les cellules du foie contre la toxicité de plusieurs médicaments, y compris l'acétaminophène et le méthotrexate.

AMÉLIORATION DU SYSTÈME IMMUNITAIRE

Plusieurs études ont révélé que l'action de l'EAV améliore grandement le système immunitaire. Ces effets ont été démontrés contre des bactéries et des virus, et même contre le *Candida albicans*. Des recherches récentes effectuées à l'Université de la Floride à Gainesville ont également mis en évidence le rôle de l'EAV dans l'amélioration du système immunitaire relativement à la réduction de la sévérité et la durée du rhume et de la grippe.

SANTÉ CARDIOVASCULAIRE

Vous vous souviendrez que l'un des effets les plus nocifs du stress est qu'il augmente le risque du syndrome métabolique. Les symptômes de ce syndrome sont l'hypertension, un cholestérol LDL élevé, un cholestérol HDL bas, des taux élevés de triglycérides et de glycémie. L'EAV est un outil d'une valeur inestimable lorsqu'il s'agit de traiter le syndrome métabolique. La recherche a démontré la capacité de l'EAV à normaliser la tension artérielle chez les patients atteints d'hypertension artérielle non contrôlée.

Selon les recherches menées par Matthew Budoff, MD, l'EAV contribue à réduire l'accumulation de calcium dans les artères coronariennes, réduit l'inflammation des artères, améliore le fonctionnement des vaisseaux sanguins, et diminue la quantité de tissus adipeux métaboliquement actifs qui enveloppent le cœur. De nombreuses études ont également indiqué que l'EAV abaisse le cholestérol élevé et augmente le bon cholestérol de façon similaire à celle des statines. En outre, dans des études animales, l'Extrait d'ail vieilli[MC] a pu réduire la glycémie due au stress de même que diminuer les complications du diabète lui-même. L'EAV s'est avéré pourvoir atténuer la fatigue et accroître la vitalité, un avantage intéressant pour ceux qui sont ou ont été affligés par le stress. Dans une étude clinique au Japon, des patients hospitalisés ont constaté une amélioration de leurs symptômes de stress reliés à leur état après l'administration d'EAV, ainsi que de vitamines B1 et B12.

PROBIOTIQUES

L'un des effets négatifs les plus importants du cortisol est son effet sur les bactéries gastro-intestinales, dont vous connaissez sûrement sous le nom de probiotiques, mais on les nomme aussi *microbiote*. Afin de comprendre les implications, j'aimerais vous donner une idée de l'importance de ces «bonnes» bactéries. Le tractus gastro-intestinal humain est peuplé d'environ 100 milliards microorganismes, dont la plupart sont des bactéries, et tous jouent un rôle important dans le maintien de la santé. Notre relation avec ces microorganismes est synergique. On doit leur fournir de la nourriture et un environnement dans lequel ils peuvent vivre et en retour, ils nous soutiennent de plusieurs façons.

Les microorganismes intestinaux ont un large éventail de fonctions utiles. Malheureusement, la portée de ce livre ne me permet pas de rendre justice à tous leurs bienfaits. Toutefois, une brève révision vous aidera à comprendre leurs rôles curatifs et préventifs très importants. Le microbiote aide à dégrader et à digérer le lactose. Des suppléments de probiotiques sont utilisés pour aider les personnes déficientes en lactase à digérer le lactose. Ces microorganismes sont essentiels pour une bonne fonction immunitaire. Selon des études, ils peuvent réduire la sévérité et la durée du rhume et de la grippe de même que la récurrence d'infections des voies urinaires. Plusieurs études ont en fait laissé entendre qu'un usage excessif d'antibiotiques à un âge précoce hausse le risque d'allergies à cause de leurs effets nocifs sur le microbiote. Cela pourrait expliquer que l'augmentation des allergies semblerait être parallèle à l'utilisation accrue d'antibiotiques dans presque tous les pays industrialisés. Bien sûr, beaucoup de ces «bonnes» bactéries peuvent ralentir la prolifération ou même détruire ces levures et bactéries pathogènes et dommageables. Le microbiote produit certaines vitamines comme la biotine et la vitamine K. En outre, le rôle de ces bonnes bactéries sur l'humeur et le comportement ne saurait être surestimé. En effet, le microbiote participe au développement du cerveau, ainsi qu'à la production des neurotransmetteurs tels que la sérotonine. La qualité et la composition du microbiote pourraient même influencer la composition corporelle. Les suppléments probiotiques ont aussi démontré leurs effets très positifs sur l'amélioration des symptômes de tension prémenstruelle. Il a été également prouvé que la présence de ces "bonnes" bactéries pourrait abaisser le risque de maladies cardiovasculaires. Enfin, les bienfaits des probiotiques sur le syndrome de l'intestin irritable, une affection qu'on retrouve fréquemment chez les personnes qui ont vécu ou vivent un stress important, sont bien documentés.

Même avec cet aperçu, il est facile de comprendre que les bienfaits des bactéries intestinales, ou microbiote, sont étendus. Bien que certaines études aient démontré que le stress peut altérer la microflore, réduisant ainsi l'efficacité de celle-ci, de nombreuses études ont indiqué que ces bactéries peuvent en réalité atténuer beaucoup des effets négatifs du stress, y compris l'anxiété. De plus, notre environnement moderne est saturé de substances qui peuvent altérer nos bactéries intestinales normales, dont les antibiotiques de prescription, les résidus d'antibiotiques dans la nourriture, l'excès d'alcool et de sucre, et de nombreux additifs chimiques. L'utilisation de suppléments probiotiques peut donc être très utile dans le cadre d'un programme de supplémentation pour aider les gens à maintenir ou à retrouver une santé optimale. Cela est particulièrement vrai pour ceux qui se remettent du syndrome S.

Les deux suppléments probiotiques que je recommande le plus pour aider mes patients à rétablir leur flore intestinale en "bonnes" bactéries sont Bio-K +, un produit de lait fermenté bien documenté, avec des niveaux très élevés de bactéries bénéfiques, et le Kyo-Dophilus. Ce dernier est fabriqué par *Wakunaga of America*, le fabricant d'Extrait d'ail vieilli[MC]. Kyo-Dophilus est un supplément probiotique unique à bien des égards. Ce produit a suscité mon intérêt lors d'une conversation que j'ai eue il y a plus de vingt ans avec mon ami, le regretté Charlie Fox. Charlie était tellement emballé par Kyo-Dophilus que son enthousiasme était devenu presque contagieux, comme il avait toujours été d'ailleurs. J'ai décidé d'étudier ce produit et de l'essayer moi-même. Voici quelques points que j'aimerais souligner à propos de Kyo-Dophilus et pourquoi il est si efficace.

Kyo-Dophilus contient des souches de bactéries d'origine humaine. Cela est important puisque, contrairement aux souches non humaines, celles-ci possèdent une affinité supérieure pour coloniser le tractus intestinal humain. En outre, ces souches se sont avérées pouvoir résister et survivre à l'acidité de l'estomac. Effectivement, il ne sert à rien de prendre un supplément probiotique si les bactéries ne sont pas vivantes à la consommation, ou si elles meurent dès qu'elles atteignent le milieu très acide de l'estomac. Les bactéries doivent pouvoir se rendre intactes dans le tractus intestinal afin de pouvoir s'y installer et se multiplier avant qu'elles ne puissent répandre leurs bienfaits. Plutôt que d'utiliser un éventail de bactéries, dont certaines n'ont que peu ou pas de valeur pour les humains, Kyo-Dophilus procure quelques souches de bactéries probiotiques qui sont spécifiquement sélectionnées, résistantes à l'acide gastrique et scientifiquement documentées. Selon des études, ces souches sont aptes à coloniser efficacement le tractus gastro-intestinal humain et ont révélé une variété de bienfaits cliniques chez les humains. Enfin, les bactéries dans Kyo-Dophilus ont subi un procédé exclusif particulier ainsi que des essais poussés afin d'assurer leur stabilité à la température ambiante. Ceci est très important au niveau de l'observance thérapeutique. Habituellement, les gens regroupent au même endroit leurs bouteilles de pilules, de prescription ou en vente libre, alors il est plus difficile d'oublier d'en prendre un s'ils sont tous ensemble. Toutefois, j'ai constaté que, puisque presque tous les suppléments de probiotiques ont besoin d'être réfrigérés, les patients oublient souvent de les prendre, car ils ne les *voient* pas. Le fait que Kyo-Dophilus n'a pas besoin de réfrigération et peut être rangé avec d'autres suppléments ou médicaments d'ordonnance garantit une plus grande observance. Un stress en moins!

NUTRIMENTS ET PLANTES

Une variété d'autres suppléments naturels se sont révélés utiles pour soutenir le corps en période de stress. Une utilisation appropriée de ces substances dépend des besoins individuels, et je vous encourage à travailler avec votre fournisseur de soins de santé pour déterminer le plan qui vous convient le mieux.

5-HTP	Le 5-HTP, ou 5-hydroxy-tryptophane, est le précurseur immédiat de la sérotonine. Il peut donc aider à alléger les déficits de sérotonine, tels que la dépression, l'insomnie, et une plus grande perception de la douleur.
Ashwagandha	L'ashwagandha, parfois nommé "ginseng indien", est traditionnellement considéré comme une plante adaptogène. Les adaptogènes sont des substances qui aident le corps à s'adapter aux agents stressants physiques, affectifs ou environnementaux. Cette plante est également utilisée pour susciter le sommeil.
Chrome	Le chrome est un cofacteur de la vitamine B3 en tant qu'élément du facteur de tolérance au glucose (GTF). Il contribue donc à sensibiliser les cellules du corps à l'insuline. Il permet aussi de prévenir ou de renverser le syndrome métabolique, et aide à atténuer les envies de sucre ou d'autres glucides.

Éleuthéro-coque	Connu également sous le nom de ginseng sibérien, l'éleuthérocoque est une des plantes adaptogènes les plus sûres et les plus polyvalentes. Elle améliore la résistance au stress et augmente l'énergie et l'immunité.
Extraits surrénaux	Les extraits surrénaux sont des extraits déshydratés de tissus de corticosurrénales. Ces extraits sont utilisés depuis des décennies comme traitement "spécifique selon l'organe" pour la fatigue surrénale.
GABA	L'acide gamma-aminobutyrique, ou GABA, est en fait l'équivalent naturel du médicament gabapentine. Il est efficace comme antidépresseur et comme aide au sommeil. On doit toutefois noter que le GABA naturel n'a pas les effets secondaires de son équivalent synthétique.
Relora®	Le Relora® est un mélange exclusif de deux plantes: le *Phellodendron amurense (P. amurense)*, et le magnolia. Son principal atout relativement au stress est qu'il réduit le cortisol produit en excès. Il aide ainsi à normaliser les taux de DHEA et à alléger les fringales de sucre et de sel en période de stress.
Rhodiole	La rhodiole est une plante adaptogène utilisée depuis des siècles pour combattre la fatigue en augmentant l'endurance physique et la performance à l'exercice. En qualité d'adaptogène, elle accélère aussi la récupération suite à une maladie.
Théanine	La théanine est un acide aminé présent dans le thé vert. Cet acide aminé contribue à augmenter les ondes alpha du cerveau, c'est-à-dire les ondes électriques du cerveau associées à la relaxation.

DE SIMPLES CHANGEMENTS À FAIRE MAINTENANT

Dans notre clinique, nous utilisons un supplément vitaminique avec teneurs élevées en vitamines B3 et B5, vitamine C et magnésium afin de soutenir les personnes vivant des périodes de stress intense. L'EAV est également un supplément important pour les aider à contrebalancer les effets du stress.

1. Prendre 100 à 200 mg de magnésium, sous forme de citrate, de glycinate ou de chélate de magnésium, quotidiennement. Pour des problèmes de sommeil, prendre le magnésium dans la soirée ou au coucher.

2. Prendre un complexe de vitamines B fournissant 25 à 75 mg des vitamines B. Dans la mesure du possible, vous pouvez augmenter vos apports en vitamines B5 et B3. Idéalement, la vitamine B3 devrait être sous forme de niacinamide. Ne pas dépasser 75 mg des vitamines B5 ou B3 à moins d'avis contraire d'un professionnel de soins de santé.

3. Prendre 600 à 1000 mg d'Extrait d'ail vieilli[MC] (EAV) par jour, comme immunostimulant et cardioprotecteur.

4. Il est préférable de consulter un professionnel de soins de santé formé en médecine nutritionnelle pour élaborer un programme de nutrition personnalisé.

«JE N'AI PAS BESOIN DE SUPPLÉMENTS, JE MANGE BIEN.»

Lorsque je suggère de prendre des suppléments alimentaires en plus d'un régime alimentaire sain, la majorité de mes patients me disent, "Je n'ai pas besoin de prendre des suppléments, je mange bien". J'aimerais aborder ce mythe.

Les suppléments ne devraient jamais remplacer de vrais aliments non transformés et de haute qualité. Cependant, l'ajout de suppléments alimentaires à votre alimentation est de plus en plus nécessaire lorsqu'il s'agit d'atteindre, de maintenir ou de restaurer une santé optimale. En effet, un nombre croissant de facteurs justifie l'emploi judicieux de suppléments alimentaires.

1. LES ALIMENTS NE SONT PAS AUSSI NUTRITIFS QU'AUPARAVANT. Certains rapports laissent entendre que dans certains cas, 30 à 100 pour cent de certains nutriments pourraient avoir été perdus dans nos aliments.*

- L'agriculture commerciale conventionnelle a dénudé les sols de leurs nutriments.
- Nous consommons de plus en plus d'aliments préparés ou congelés.
- Les fruits et les légumes ne sont pas toujours cueillis mûrs.
- Les aliments sont entreposés de plus en plus longtemps.
- Les aliments raffinés causent un appauvrissement considérable en nutriments.
- Les animaux sont élevés industriellement (fermes-usines).
- *Une grande partie de ce qui précède met en évidence l'importance d'acheter des produits alimentaires de culture locale provenant de fermes familiales, de même que des fruits et légumes de culture biologique venant de fournisseurs fiables.

2. Notre besoin en nutriments protecteurs a augmenté pour les raisons suivantes:

- Augmentation de la pollution environnementale.
- Additifs chimiques.
- Stress accumulé, sans avoir la capacité de lutte ou de fuite.
- Tabagisme.
- Consommation d'alcool.
- Utilisation accrue de médicaments et de substances de croissance dans le fourrage des animaux (antibiotiques, hormones).

3. L'utilisation accrue des médicaments augmente aussi le besoin en divers nutriments.

Ce point, entre autres, est souligné dans le livre intitulé «Drug-Induced Nutrient Depletion Handbook», dans lequel l'auteur déclare: «Il est étonnant de découvrir le grand nombre d'études figurant dans la littérature scientifique, qui signalent l'épuisement en nutriments dû à la prise de médicaments.»

Tout ceci justifie le commentaire suivant du Dr David Heber, professeur au Département de médecine de l'UCLA:

«Nous avons à présent un ensemble substantiel de données indiquant que si chaque personne prenait quelques suppléments chaque jour, elle pourrait considérablement abaisser son risque d'une multitude de maladies graves.»

CHAPITRE 11

Programme d'exercice pour la gestion du stress

SELON LE SONDAGE «*STRESS IN AMERICA*», le plus récent mené par la *American Psychological Association* (APA), vingt pour cent des États-Uniens déclarent avoir des niveaux de stress «élevé» ou «extrême». Plus de soixante pour cent de ce groupe prétendent ne pas pouvoir gérer leur stress efficacement et se tournent plutôt vers des méthodes d'adaptation telles que faire une sieste, manger, ou boire de l'alcool. Compte tenu des effets cumulatifs d'un stress mal géré, il n'est pas étonnant de constater que les répondants de ce groupe sont beaucoup plus susceptibles de signaler des niveaux croissants de stress d'une année à l'autre.

Dans les chapitres précédents, nous avons discuté des différences entre le «bon» et le «mauvais» stress. D'une part, un stress chronique et/ou non mitigé peut provoquer une grande variété d'effets physiologiques et psychologiques négatifs, dont des défis aux systèmes cardiovasculaire, digestif, neurologique et lymphatique. Les symptômes physiques peuvent inclure des migraines, des malaises gastriques, une pression artérielle élevée, des douleurs à la poitrine, des douleurs corporelles généralisées, ou de la difficulté à dormir.

D'autre part, le «bon» stress peut nous garder énergisé, concentré et motivé. Une étude animale effectuée dernièrement associait le stress à court terme à la multiplication de nouveaux neurones et à une mémoire accrue. De nombreux essais cliniques en cours explorent les bienfaits du stress sur le corps et l'esprit. Nous verrons vraisemblablement dans les prochaines décennies plus de témoignages sur des corrélations similaires.

L'exercice physique peut causer un stress sur l'organisme. Cependant, dans la plupart des cas, il fournit le type de bon stress qui est bien accueilli par le corps. Toutefois, l'ironie du sort veut que certains de mes patients éprouvent un stress même quand j'aborde le sujet de l'exercice. Pour ceux qui sont habitués à une vie sédentaire, tout encouragement à «bouger» peut être interprété comme étant une provocation.

Je vous offre deux bonnes nouvelles:

1. Lorsqu'il s'agit de stress, les bienfaits de l'activité physique sont incontestables et très fiables.

2. Le niveau d'exercice nécessaire pour réaliser ces bienfaits peut-être plus facile et plus accessible que vous ne l'imaginez.

COMMENT L'EXERCICE PEUT-IL AIDER À GÉRER LE STRESS?

L'exercice peut avoir un effet positif immédiat sur les niveaux de stress. Nous avons tous fait l'expérience des bienfaits de l'air frais, du mouvement, d'un accroissement du flot sanguin, et de l'absence de soucis après une belle randonnée à l'extérieur. En fait, le simple fait de prendre du temps pour soi peut réajuster notre perception des problèmes et des tracas.

À plus long terme, l'exercice contribue à atténuer les effets négatifs du stress chronique. L'exercice peut aider à réparer certains des dommages physiologiques causés par le stress. Ces réparations aider le corps à gérer et à répondre plus efficacement aux événements stressants actuels et futurs.

LE SYSTÈME CARDIOVASCULAIRE

L'exercice contribue à corriger certains des dommages que peut causer le stress chronique au cœur et aux artères, en améliorant la tolérance à l'exercice, en réduisant le poids corporel, en abaissant la tension artérielle et le «mauvais» cholestérol LDL, et en augmentant le «bon» cholestérol HDL.

LE SYSTÈME ENDOCRINIEN

Le stress chronique peut mener à une résistance à l'insuline, qui est associé au syndrome métabolique et au diabète de type II. L'exercice augmente la sensibilité à l'insuline, ce qui réduit la quantité d'insuline qui est sécrétée par le pancréas, et améliore l'efficacité du métabolisme du glucose.

LE SYSTÈME LYMPHATIQUE

L'exercice améliore la santé du système lymphatique, qui peut être compromise par les toxicités et les tensions musculaires manifestées par le stress chronique.

LE SYSTÈME MUSCULO-SQUELETTIQUE

L'exercice contribue à maintenir et/ou à accroître la densité osseuse tout en augmentant la force et le tonus des muscles.

LE CERVEAU

L'exercice peut contribuer à renverser les déséquilibres neurochimiques causés par le stress chronique. Comme on a vu dans les chapitres précédents, le stress chronique peut causer le dysfonctionnement et l'épuisement des neurotransmetteurs tels que la noradrénaline, la dopamine et la sérotonine. L'exercice élève les taux de noradrénaline et protège contre un manque de cette hormone. La noradrénaline est en elle-même importante au bon fonctionnement du cerveau. On la connaît pour moduler ou jouer un rôle dans l'action de la sérotonine et de la dopamine. La sérotonine et la dopamine sont toutes deux associées à une élévation de l'humeur, de la mémoire et de l'apprentissage.

Ce ne sont là que quelques exemples des avantages de l'exercice. Il n'y a vraiment aucun système physiologique qui ne bénéficie pas des effets positifs de l'exercice. Ce fait pourrait être la clé aux bienfaits combinés de l'exercice pour les personnes souffrant de stress chronique. La *American Psychological Association* décrit cette synergie de la façon suivante:

> «*L'exercice pousse les systèmes physiologiques du corps, c'est-à-dire tous ceux qui jouent un rôle dans le mécanisme de réaction au stress, à communiquer beaucoup plus étroitement qu'à l'habitude. Le système cardiovasculaire communique avec le système rénal, qui communique avec le système musculaire. Et tous sont contrôlés par les systèmes nerveux central et sympathique qui doivent également communiquer entre eux. Cette «séance d'entraînement» du système de communication du corps pourrait bien être la valeur réelle de la pratique d'un exercice. En d'autres termes, plus on devient sédentaire, plus notre corps est lent à réagir au stress.*»

JE SUIS VENDU! MAIS QUELS EXERCICES DEVRAIS-JE?

Faites ce que vous aimez! Cela signifie n'importe quel mouvement qui fait pomper votre cœur plus rapidement: marcher, monter des escaliers, faire du yoga ou du tai-chi, jardiner, nager, ou même nettoyer la maison. Il est préférable de faire de l'exercice plus souvent et à une moins grande intensité, donc essayez de trouver une activité que vous pouvez intégrer à votre horaire quotidien.

Faites de l'exercice avec un ami. Vous augmenterez donc vos chances de "coller" à votre nouvelle activité. En sachant que votre ami vous attend au gym ou à l'entrée du sentier, vous aurez bien moins envie de laisser tomber votre activité. Partager vos objectifs avec une autre personne (et lui demander son appui) augmente également votre responsabilisation.

Rappelez-vous, il n'est jamais trop tard pour commencer, et beaucoup de choix s'offrent à vous. L'important, c'est d'être actif, de bouger tous les jours pendant au moins 30 minutes. Des études révèlent une baisse du taux de mortalité, même pour les gens qui commencent à être actifs après l'âge de 40 ans. Bien entendu, si vous n'avez pas été physiquement actif depuis quelque temps ou si vous souffrez d'une maladie chronique, consultez votre médecin avant d'entamer un nouveau programme d'exercice.

UNE NOTE SUR LA MARCHE

La marche est possiblement la façon la plus simple, la plus sûre et la moins coûteuse de faire de l'exercice. Si vous optez pour la marche comme activité physique, assurez-vous de marcher au moins 10 000 pas par jour. C'est ce qu'on considère comme étant "physiquement actif". Faire 12 500 pas par jour est considéré comme "très actif"!

Comment compter vos pas? Un podomètre (12$ et plus) est un petit appareil qui compte les pas pour vous. Fixez-le à votre ceinture ou à votre taille avant de commencer votre journée, et le podomètre calculera le nombre de pas que vous faites. Il existe également des applications de podomètre pour votre téléphone intelligent iOS ou Android.

UNE NOTE SUR L'ENTRAÎNEMENT MUSCULAIRE

Les bienfaits de l'entraînement musculaire peuvent provenir de la résistance que vous obtenez de votre propre poids, de poids et haltères, ou d'appareils à contre-poids que vous utilisez. Une façon économique de faire un entraînement de mise en charge est d'utiliser votre poids en faisant des flexions-extensions au sol (push-up), des élévations à la barre fixe (chin-up) et des flexions des jambes (squat). Si vous avez accès à une salle de gym, vous y trouverez des circuits pour le corps entier et des machines d'exercice ciblant des groupes musculaires en particulier. Dans la salle de gym, vous pouvez souvent profiter de l'aide et des conseils d'entraîneurs professionnels.

Afin de miser sur la simplicité et la sécurité, j'ai inclus une série de trois exercices conçus pour travailler 80 pour cent de la masse musculaire du corps. Le Dr Michael Hewitt, directeur de la recherche en sciences de l'exercice au *Canyon Ranch Health Resort*, a mis au point la séquence ci-dessous, qui s'exécute dans environ 10 à 15 minutes. Commencez avec des poids de cinq livres et augmentez seulement lorsque vous pourrez compléter toutes les séries avec aise et de la bonne façon.

DÉVELOPPÉ DES PECTORAUX

Couchez-vous sur le dos, les genoux pliés. Tenez vos haltères avec les coudes pliés vers l'extérieur, à la hauteur des épaules, et ramenez-les ensemble au-dessus de votre poitrine. Baissez lentement les coudes à la position initiale, puis répétez.

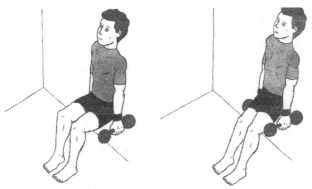

DÉVELOPPÉ DE JAMBES AU MUR

Avec les pieds écartés à la même largeur que les hanches, tenez vos poids en ayant les bras droits sur les côtés du corps. Pliez lentement les genoux jusqu'à ce que les hanches soient au même niveau que les genoux, mais pas plus bas que les genoux. Vos pieds doivent être suffisamment éloignés du mur pour que vous puissiez fléchir les genoux, et les genoux ne doivent pas dépasser la ligne des orteils. Revenez à la position debout initiale, et répétez.

Tirade unilatérale

Placez un genou et une main sur une chaise ou un banc. Fléchissez la jambe tendue. Tenez le poids avec votre autre main en gardant le bras droit. Puis pliez votre coude pour le ramener à votre côté et redescendez en contrôlant le mouvement vers le bas. Gardez le dos droit et le coude près du corps. Expirez en soulevant. Inspirez en descendant.

UNE NOTE SUR LA COURSE

Lorsque mes patients me demandent mon avis sur la course, je donne souvent à ces coureurs enthousiastes une réponse qu'ils n'aiment parfois pas entendre. Certaines études indiquent qu'un exercice d'endurance de haute intensité, fréquent et soutenu, peut effectivement avoir des conséquences indésirables sur la santé cardiovasculaire et l'immunité. De plus, ces conséquences peuvent avoir un effet domino sur les effets du stress ou même les exacerber.

Je conseille à mes patients qui gèrent les réactions d'un stress chronique, y compris ceux qui ont des glandes surrénales surmenées, d'éviter un entraînement d'endurance de haute intensité. Une fois que leur santé et leur équilibre seront rétablis, ils pourront retourner à leur programme d'entraînement.

DE SIMPLES CHANGEMENTS QUE VOUS POUVEZ FAIRE MAINTENANT

1. Bougez! Fixez-vous un objectif de 30 minutes d'activité par jour. Souvenez-vous: vous pouvez diviser ce temps en trois périodes de 10 minutes chacune si c'est nécessaire. En faisant cet effort, non seulement vous réduirez votre niveau actuel de stress, mais vous aiderez également à réparer les dommages causés par des années de stress chronique.

2. Essayez de marcher au moins 10 000 pas par jour. Procurez-vous un podomètre pour suivre vos progrès et pour rester motivé.

3. Faites un exercice de mise en charge quelconque au moins trois fois par semaine. J'ai inclus les trois principaux exercices ci-haut, mais tout type d'entraînement en force musculaire où vous utilisez votre propre poids, des poids libres ou des machines à contre-poids seront bénéfiques. Option: Ce n'est en aucun cas nécessaire, mais si vous pouvez vous le permettre, embauchez un entraîneur personnel. Vous aurez donc une motivation financière et une base solide si vous en avez besoin.

CHAPITRE 12

Votre plan de méditation
pour le stress

LE MONDE NUMÉRIQUE D'AUJOURD'HUI signifie que nous sommes toujours "branchés". La technologie moderne, avec ses demandes constantes et sans pitié sur notre temps et notre attention, contribue considérablement au stress. Chez les adultes américains, 91 % possèdent un téléphone cellulaire. De ce groupe, 56 % possèdent un téléphone intelligent. Vingt-neuf pour cent rapportent qu'ils "ne pourraient vivre sans leur téléphone intelligent", que la première chose qu'ils font en se levant le matin est de l'ouvrir et la dernière chose qu'ils font avant de se coucher est de le fermer. Quarante-quatre pour cent des utilisateurs dorment avec leur téléphone à leurs côtés, afin de ne pas manquer de messages, de textos, de tweets, ou autre mise à jour quelconque.

Dans une autre étude, 26 pour cent des personnes interrogées ont déclaré qu'elles se sentaient coupables de ne pas répondre rapidement aux messages reliés à leur travail en dehors des heures normales de bureau. Pour la plupart d'entre nous, ce nouveau monde qui nous accapare 24/7 est une source majeure de stress permanent. N'oubliez pas, notre corps est inapte à faire la différence entre l'appréhension que nous éprouvons à recevoir un courriel du patron et l'apparition soudaine d'un animal mangeur d'hommes. Les deux situations libèrent une flambée d'adrénaline et de cortisol.

Voyez-vous, les statistiques ci-dessus font référence à des adultes, ces "migrants numériques" qui ont connu le monde avant la révolution technologique. Les enfants d'aujourd'hui font face à un problème encore plus pressant. Ceux qui sont nés après l'an 2000 ont grandi dans un environnement technologique omni-présent. Pour cette raison, on appelle leur génération celle des "natifs numériques" ou "numéricains".

Un environnement natif rempli de jeux électroniques, d'ordinateurs, d'accès Wi-Fi, de téléphones intelligents et de tablettes me préoccupe sérieusement. D'une certaine manière, ces appareils ont facilité la vie à bien des égards, mais ils présentent aussi un défi considérable relativement au maintien d'une activité cérébrale équilibrée alors qu'ils alourdissent continuellement l'élément de stress dans nos vies. Seul le temps nous dira ce que les conséquences de notre environnement technologique auront sur des cerveaux et des corps en pleine croissance.

Par exemple, les jeux électroniques offrent une évasion dans un monde imaginaire, et certains semblent très amusants. Mal-heureusement, la plupart stimulent de façon malsaine la réaction au stress. Le danger virtuel que ressent un joueur en tentant de s'échapper pour sauver sa vie, en tuant un ennemi, ou en coursant (et en détruisant une voiture) ne peut être dissocié de la réalité. Pendant ces jeux, le système nerveux sympathique active et libère l'adrénaline. La poussée d'adrénaline dont peuvent parler les enfants en plaisantant est réelle.

Il est important de souligner ici la différence entre les jeux de guerre virtuels et les jeux que nous avions l'habitude de jouer en étant enfants. Lorsqu'on joue à l'extérieur plutôt que d'être assis devant un écran, on réagit au stress perçu de la même façon en faisant semblant de jouer. Le système nerveux sympathique est également activé dans ce cas-ci. Toutefois, en étant dehors, on entreprend réellement une action physique de fuite ou de lutte, et donc notre corps synthétise l'adrénaline et le glucose dans le sang comme il se doit. Ce n'est pas le cas lorsque le seul mouvement physique en cause est d'avoir une main sur la manette de commande.

Ce qui est pire encore, c'est que les jeux vidéo peuvent créer une dépendance, chez les mâles surtout. Les jeux activent dans le cerveau le circuit de la récompense relié à la dopamine d'une façon telle qu'on se sent forcé de continuer de jouer. Je crois que non seulement ces jeux inciteront nos enfants à rester inactifs et en mauvaise santé, mais entraîneront aussi une «désensibilisation» à la violence et à la mort. Ce phénomène pourrait être relié à l'augmentation de la violence qu'on voit dans les écoles depuis les dernières décennies.

Cette même réaction à la récompense s'active au bruit sonore d'un nouveau texto ou courriel. La dopamine déclenche un comportement de «recherche», élevant l'excitation et l'intérêt. On ressent de la satisfaction à lire ou à répondre au message. La boucle qui se produit sans cesse chaque fois qu'on entend l'arrivée d'un message nous maintient «en ligne» et collés à notre téléphone. Résultat: une stimulation et des distractions perpétuelles, engendrant un stress chronique.

Bien entendu, les enfants ne sont pas en ligne pour jouer uniquement à des jeux. À l'âge de deux ans, près de 50 pour cent de tous les bébés auront utilisé un ordinateur ou un appareil mobile. La majorité des jeunes possèdent un téléphone intelligent à l'âge de 13 ans. Il est rare de voir un adolescent parler vraiment au téléphone, car ils sont plus enclins à texter, à microbloguer sur Twitter, ou à afficher des commentaires sur les réseaux sociaux. Ces réseaux sociaux peuvent eux-mêmes contribuer au stress.

Des recherches récentes publiées dans la revue *Computers in Human Behavior* font mention du phénomène que les enfants appellent FoMO (en anglais, «*Fear of missing out*»), ou la crainte de passer à côté de quelque chose d'important. Le syndrome FoMO s'avère être un élément déclencheur pour une utilisation plus fréquente et plus fébrile des réseaux sociaux. Les participants de l'étude aux prises avec un degré élevé du syndrome FoMO étaient plus susceptibles de vérifier les sites de médias sociaux en classe, et pire encore, en conduisant. Cette étude visait plus particulièrement les jeunes, mais je connais de nombreux adultes qui peuvent s'identifier à ces ados.

BRISER L'HABITUDE DE LA TECHNO

Le stress technologique est réel. Pour les personnes atteintes de stress chronique, je recommande les stratégies suivantes pour réduire et alléger l'impact négatif:

- Planifier des périodes "sans techno" pendant lesquelles vous ne faites aucune activité en ligne ou devant un écran. Attendez-vous à ce que ce soit difficile. Pour augmenter vos chances de succès, planifiez des activités alternatives et demandez l'appui de votre famille et de vos amis.

- Faites un effort concerté pour garder votre téléphone intelligent et votre tablette à l'extérieur de votre chambre à coucher. Cessez d'utiliser votre téléphone ou votre ordinateur quelques heures avant d'aller vous coucher. La lumière émanant de ces appareils peut nuire à la qualité de votre sommeil.

- Fixez-vous des limites de temps pour le courrier électronique et les réseaux sociaux. Lorsque vous êtes au travail, quittez votre plateforme de courrier électronique et fermez votre séance sur les réseaux sociaux. Faites en sorte que ce soit plus difficile d'accéder à ces choses lorsque l'envie vous prend.

- Planifiez du temps pour répondre aux courriels et informez-en vos collègues et amis. Ainsi, ils ne s'attendront pas à ce que vous répondiez immédiatement et vous vous sentirez peut-être moins contraint à leur répondre aussitôt.

- Si vous devez être à l'ordinateur, travaillez sur une seule tâche à la fois. Le fait d'avoir plusieurs fenêtres ouvertes vous oblige à mener plusieurs tâches de front et invite aux distractions, pouvant causer la libération d'hormones de stress.

- Créez des opportunités de face-à-face pour un sentiment de rapprochement. Une approche moins techno peut aboutir à une expérience plus enrichissante et plus satisfaisante.

LA MÉDITATION ET LE STRESS

Utilisez-vous le côté droit ou gauche de votre cerveau? Vous savez probablement ce que je veux dire en posant cette question. La plupart des gens associent l'hémisphère gauche de leur cerveau à la pensée analytique, tandis que l'hémisphère droit est relié à la créativité. De par notre culture, on semblerait attacher une plus grande valeur à l'activité cérébrale linéaire et logique de l'hémisphère gauche. Mettons de côté les mesures de valeur pour l'instant, voici ce qui est important de retenir: lorsqu'il s'agit de gestion du stress, l'équilibre et l'intégration des deux hémisphères sont essentiels.

Lorsqu'on fait appel à l'hémisphère gauche, ce qui se fait la majorité du temps, on lance le système nerveux sympathique responsable de la libération de l'adrénaline. Quant à l'hémisphère droit, c'est le système nerveux parasympathique qui est sollicité; ce dernier est responsable de ralentir le cœur et la respiration, d'améliorer la digestion et d'augmenter le flot sanguin. En d'autres mots, le système nerveux parasympathique occasionne une réaction de détente. L'activité du "cerveau droit" vous aide à relaxer.

Les activités artistiques comme la peinture ou la musique peuvent activer le système nerveux parasympathique. Cependant, comme ces activités nécessitent quand même de la réflexion et un niveau de performance, l'activité du cerveau gauche ne peut pas être entièrement au repos. Compte tenu de cela, Dr Syméon Rodger, prêtre orthodoxe, propose que la façon la plus efficace de tranquilliser l'esprit (et d'améliorer notre réaction au stress) consiste à rester assis à ne rien faire (*Sit Still and Do Nothing - SSND*).

Dans le monde occidental, la pratique de la méditation est souvent associée à la spiritualité orientale. Les chefs spirituels de l'Asie de l'Est comme Thich Nhat Hanh et le Dalaï Lama sont bien connus. Cependant, presque chaque tradition spirituelle à l'échelle globale encourage une certaine forme de méditation. Pendant presque 2000 ans, les membres de l'Église orthodoxe de l'Est ont pratiqué la «prière de Jésus», également connue sous le nom de «prière du cœur». Les moines bénédictins pratiquent la méditation chrétienne. Les Amérindiens croient que la méditation contribue à transcender le monde matériel et à accroître la sagesse divine.

Si vous ne pratiquez pas encore la méditation sur une base régulière, je suis ici pour vous dire que la méditation aura comme effet d'atténuer les effets du stress et sera d'un grand bienfait à votre santé. Les chercheurs tentent à ce jour de déterminer les mécanismes exacts de ce processus, mais plusieurs études ont déjà validé les bienfaits de la méditation.

Le projet Shamantha examinait les effets salutaires de la méditation sur la santé mentale et physique. Mené par des chercheurs du *Davis Center for Mind and Brain* de la *University of California, Davis*, c'est une des études les plus approfondies sur le sujet jusqu'à ce jour, ayant reçu l'appui à la fois du Dalaï-Lama et de la communauté scientifique.

Dans le cadre de ce projet, la chercheuse Tonya Jacobs évaluait les états émotionnel et biochimique de sujets avant et après une retraite de méditation de trois mois. Après la retraite, les chercheurs ont pu constater des changements clairs. L'enzyme télomérase, jouant un rôle dans l'activité cellulaire et celle des télomères qui assurent la protection des gènes, avait grandement augmenté. Les participants ont démontré individuellement une corrélation inverse entre les niveaux de pleine conscience autodéclarée et les niveaux de cortisol.

Selon Jacobs, "Plus une personne déclarait qu'elle dirigeait ses ressources cognitives vers une expérience sensorielle immédiate et vers la tâche à accomplir, plus le taux de cortisol au repos était bas. L'idée qu'on puisse exercer notre esprit de façon à entretenir de saines habitudes mentales, et que ces habitudes puissent se refléter dans des relations de l'esprit et du corps n'est pas nouvelle. Ce concept existe depuis des milliers d'années parmi différentes cultures et idéologies. Toutefois, cette idée fait tout juste commencer à être intégrée dans la médecine occidentale alors que les témoignages objectifs se font de plus en plus nombreux. Espérons que d'autres études comme celle-ci contribueront à cet effort."

Une étude comparative dans le cadre du Programme sur la réduction du stress basée sur la pleine conscience (*Mindfulness-Based Stress Reduction Program – MSRP*) de huit semaines a révélé des corrélations similaires. Dans ce cas-ci, les participants dans l'étude de la *University of Madison* étaient répartis dans deux groupes. Un groupe avait reçu une formation dans le cadre du MSRP et l'autre dans un programme actif d'amélioration de la santé (*Health Enhancement Program – HEP*). Les deux groupes ont démontré une baisse de leur taux de cortisol. Le groupe MSRP a par contre démontré des réactions inflammatoires post-stress considérablement plus faibles.

Cette recherche fournit la preuve définitive des effets positifs de la méditation sur la santé. Même sans méditer, je crois que nous savons tous comme on se sent bien lorsqu'on prend une bonne respiration, qu'on ralentit et qu'on calme notre esprit effréné. Si vous souffrez de symptômes de stress chronique, le fait de prendre un peu de temps chaque jour à «ne rien faire» est un bon point de départ qui est simple et ne coûte rien.

TROIS ÉTAPES SIMPLES POUR LES PRATIQUANTS DÉBUTANTS

1. Planifiez du temps pour vous. Identifiez un endroit tranquille où vous ne serez pas interrompu pendant 10 à 15 minutes. Réglez une minuterie pour la période que vous voulez méditer.

2. Asseyez-vous confortablement, le dos droit, la tête droite, les épaules en ligne avec le bassin. Vous n'avez pas besoin de vous asseoir sur le plancher ou sur un coussin. Si c'est plus facile pour vous, asseyez-vous sur une chaise en gardant le dos droit. Assurez-vous simplement de suivre

les instructions ci-dessus, de ne pas croiser les jambes et d'avoir les pieds à plat au sol.

3. Soyez conscient de chaque respiration. Laissez vos pensées pénétrer votre esprit puis repartir sans effort ni attachement. Imaginez-vous que ce sont des nuages qui se déplacent dans le ciel.

Réunir tous les éléments

J'ESPÈRE QUE CE QUE J'AI PARTAGÉ avec vous contribue à la fois à une meilleure compréhension de la notion du stress et vous apporte un sentiment de puissance à l'égard de vos symptômes de stress chronique. Le stress est réel et inévitable et a un impact physiologique que beaucoup négligent. Comme je l'ai mentionné à plusieurs reprises, le stress n'est pas tout "dans votre tête". Le stress chronique peut promouvoir le développement de symptômes très diversifiés répartis dans plusieurs systèmes de l'organisme.

Le message le plus important que je tiens à vous livrer en est un d'espoir. Peu importe les symptômes que vous éprouvez, soit des déséquilibres hormonaux, des troubles gastro-intestinaux, des douleurs, des malaises ou des troubles émotionnels, un bon plan de traitement peut aider à renverser ou à éliminer ces symptômes au fil du temps. Mieux encore, vous pouvez prévenir la majorité des effets négatifs du stress grâce à l'acquisition de connaissances et l'autogestion de soins à apporter.

Nous avons souvent peu ou aucun contrôle sur des circonstances stressantes. En fait, certains événements ne nous apparaissent même pas comme étant stressants. Cependant, nous avons un pouvoir total sur les aliments que nous choisissons de manger ou d'éviter. Notre mode de vie, y compris la qualité du sommeil, l'utilisation de la technologie et la méditation, est également largement sous notre contrôle. Enfin, c'est à nous de décider de la façon dont on va réagir au stress et en gérer les effets.

J'ai partagé avec vous les réussites de mes patients ainsi que les recommandations de nutrition et d'exercice qui sont spécifiques à la gestion du stress. De toute évidence, les bons choix pour la gestion du stress sont ceux qui réduisent également les risques de cancer, de maladies du cœur et de démence. Ces choix favorisent également l'augmentation de l'énergie physique et mentale. Vous n'avez rien à perdre et tout à gagner. Je vous souhaite bonne chance et une santé encore meilleure!

COMMENT SE PORTENT-ILS AUJOURD'HUI?

Quelques mois après notre première consultation, **Cathy** a connu de nombreux changements, tous positifs. Elle et son mari sont allés consulter un conseiller matrimonial pour les aider dans leur relation. Maintenant, les deux se réservent un week-end chaque mois pour passer du temps ensemble, sans courriel ni téléphone intelligent… et pas d'ado!

Cathy a également apporté quelques changements à son alimentation. Elle a grandement réduit la quantité de sucre dans son régime alimentaire et consomme plus de protéines. Plus important encore, elle évite les aliments auxquels elle est intolérante suite à nos tests. Cela a radicalement amélioré son syndrome de l'intestin irritable, ainsi que sa santé globale. Un programme de supplémentation personnalisé a contribué à accroître ses niveaux d'énergie tout en améliorant son sommeil. Comme elle dort mieux maintenant, elle a plus de mémoire et une meilleure concentration.

Cathy s'est également rendu compte qu'elle n'était pas une «superfemme». Aujourd'hui, elle maintient un programme d'exercice efficace en s'entraînant trois fois par semaine au gym. Lorsqu'elle n'est pas au gym, elle marche 10 000 pas par jour. Comme elle sait qu'elle doit faire de l'exercice, elle sait aussi qu'elle ne doit pas exagérer. En conséquence, Cathy paraît et se sent 10 ans plus jeune que lorsque je l'ai rencontré pour la première fois. Elle sait que le stress est une réalité de la vie, mais elle sait maintenant aussi comment elle peut aider son corps à affronter le stress qu'elle ne peut éviter. "L'objectif…" m'a-t-elle dit, "c'est de savoir autogéré sa santé."

Gérard a perdu 25 livres depuis. Bien qu'il s'attendait à en perdre plus, il était encouragé par les autres changements. Grâce à des modifications à son régime alimentaire, des suppléments nutritionnels, dont l'Extrait d'ail vieilli[MC], et l'activité de l'hémisphère droit de son cerveau, il a constaté une baisse de ses taux de glycémie et de cholestérol. Il m'a également dit que la famille et les amis avaient remarqué qu'il ne réagissait plus de manière excessive.

La dernière fois que nous nous sommes vus, Gérard a déclaré qu'avant de prendre en main son problème de stress, il ne s'était jamais senti vraiment reposé, même après avoir dormi pendant de longues heures. Maintenant, il se sent totalement régénéré lorsqu'il se réveille. Son esprit est alerte, et il a hâte d'entamer sa journée de travail. Fait intéressant, Gérard n'a pas diminué sa charge de travail. Il travaille tout simplement de façon plus intelligente et il sait à présent comment réduire l'impact du stress sur son corps. Même stress, moins de dommages.

Patricia a enfin donné naissance à un petit garçon de 7 livres. Bien sûr, ses problèmes d'infertilité ne sont pas disparus du jour au lendemain. Certaines des améliorations reliées à son mode de vie ont pris des mois à se concrétiser, voire des années. D'abord, Patricia a fait analyser ses taux d'hormones. Elle a commencé un programme nutritionnel pour améliorer ses réactions au stress et pour corriger le déséquilibre entre ses taux de cortisol et de progestérone. Un médecin lui a également prescrit une faible dose de progestérone afin d'améliorer son équilibre hormonal. Après quelques mois seulement, Patricia était en mesure d'arrêter son hormonothérapie de remplacement. Elle a pris également un supplément de tyrosine (acide aminé) pour l'aider à améliorer sa fonction thyroïdienne. Elle a également commencé à faire du mini-trampoline d'intérieur pendant 20 minutes chaque jour, cinq jours par semaine. Comme sa santé hormonale s'améliorait, son SPM et sa fertilité prenaient du mieux aussi. Les choses allaient beaucoup mieux au travail. Patricia est devenue enceinte trois ans après le début du traitement.

Patricia se porte très bien aujourd'hui, même si elle avoue qu'avoir un bébé limite ses heures de sommeil. Elle marche sur son mini-trampoline avec son bébé dans les bras, un petit truc qui aide bébé à s'endormir grâce au mouvement. Bien que Patricia dorme moins ces jours-ci, elle a plus d'énergie le matin qu'elle n'en a jamais eu.

———————

Travailler avec **Luc** ne fut pas facile. Ce jeune homme très intelligent questionnait chaque recommandation que je lui faisais. En raison de son tempérament émotif complexe et de son questionnement incessant, il a fallu à Luc un an pour enfin suivre le programme établi et apporter les changements qu'il devait faire pour l'aider à gérer son stress. J'ai recommandé qu'il diminue considérablement les glucides dans son régime alimentaire tout en augmentant son apport en protéines. Son régime alimentaire se composait de beaucoup de légumes, une bonne quantité de protéines, et très peu de glucides. Luc a suivi un programme de suppléments nutritionnels qui incluait la tyrosine, ainsi que le magnésium et la niacinamide pour leurs effets anxiolytiques. Il a également commencé à faire de l'exercice en modération, se concentrant principalement sur un programme d'exercice de mise en charge. À cause de sa personnalité et de sa physiologie, il ne peut faire d'aérobie avec sauts. Un entraînement aérobique intense stimulerait trop son système déjà hyperstimulé.

En ce moment, Luc est transformé. Il a très rarement des crises d'anxiété. Si cela se produit, il sait pourquoi elles surviennent et ce qu'il peut faire pour les gérer. La dernière fois que j'ai rencontré Luc, il était emballé au sujet d'un nouveau projet de film et une série télévisée qu'il tournait. Il était excité, certes, mais pas surexcité.

Ressources Choisies

Au cours de mes années de pratique privée, j'ai découvert certaines ressources qui pourraient vous aider dans votre quête vers une santé optimale, et j'aimerais les partager avec vous.

PREMIÈRE LIGNE DE SOINS DE SANTÉ

Votre magasin d'alimentation santé ou de produits de santé naturels met à votre disposition une abondance de produits et d'information. En effet, le magasin d'alimentation santé est à l'avant-garde de certaines des découvertes les plus passionnantes en soins de santé. Une grande partie des «connaissances communes» en nutrition avait déjà été recueillie et enseignée par les magasins de santé naturelle depuis des décennies avant que toute cette information ne devienne «courante». Ces magasins vous offrent des aliments de culture biologique, des produits de santé naturels et des plantes médicinales de même qu'une pléthore de livres reliés à la santé.

Pour obtenir une liste des magasins d'alimentation santé de votre région, consultez votre bottin ou le site Web de l'Association canadienne des aliments de santé (ACAS) ou celui de la *Natural Products Association* (États-Unis).

ASSOCIATION CANADIENNE DES ALIMENTS DE SANTÉ
www.chfa.ca/fr/member-directory

NATURAL PRODUCTS ASSOCIATION
www.npainfo.org

PROFESSIONNELS DE SOINS DE SANTÉ

DANIEL CRISAFI, PHD, ND

Notre clinique pH Santé Beauté offre des soins naturopathiques et esthétiques. Notre mission est d'aider à atteindre l'épanouissement de votre santé et de votre beauté physiques. Notre clinique a pignon sur rue à Montréal, au Canada.

www.phsantebeaute.com
514-495-2228
5040, avenue du Parc
Montréal, QC
H2V 4G1 Canada

MÉDECINS NATUROPATHES

La naturopathie (ou médecine naturopathique) est l'art, la philosophie et la science d'aider les gens à maintenir ou à récupérer leur santé en utilisant des moyens écologiques et naturels. Le naturopathe est formé dans le but de découvrir la cause d'un état de santé et de travailler de pair avec le patient pour éliminer la cause.

Les principaux rôles du naturopathe sont les suivants:

- Éduquer le patient de façon à lui fournir les outils nécessaires pour gérer sa propre santé.
- Trouver et traiter la cause de l'état de santé de son patient, et non seulement en camoufler les symptômes.
- Utiliser une approche holistique, c'est-à-dire traiter la personne dans son ensemble, et non seulement se concentrer sur un organe ou une partie du corps en particulier.
- Utiliser les outils d'une pharmaco-pée naturelle (minéraux, vitamines, plantes médicinales, etc.) plutôt que des médicaments synthétiques, afin de soutenir les patients pendant leur récupération.

Pour trouver un naturopathe dans votre région, veuillez visiter les sites professionnels suivants:

ASSOCIATION CANADIENNE DES DOCTEURS EN NATUROPATHIE
www.cand.ca/Accueil.
home.0.html?&L=0&L=1

AMERICAN ASSOCIATION OF NATUROPATHIC PHYSICIANS
www.naturopathic.org

Pour plus d'information sur les tests d'intolérances alimentaires, visitez http://fr.food-intolerance.ca.

COMPAGNIES DE PRODUITS DE SANTÉ NATURELS

Voici une liste de ressources de sup-pléments naturels, dont ceux men-tionnés dans ce livre. J'ai inclus les compagnies avec lesquelles j'ai déjà travaillé et donc, celles que je connais le mieux. L'exclusion d'une compagnie signifie simplement que je n'ai pas eu l'opportunité d'essayer en clinique les produits de cette compagnie pendant une période prolongée.

DRCRISAFI

Cette marque de produits de santé naturels de haute qualité porte mon nom, et j'appuie pleinement la sci-ence sur laquelle ils sont fondés. Tous les suppléments de cette marque sont basés sur mon expérience en cli-nique, sont de la plus haute qualité de fabrication, et ont été soumis à des essais en clinique dans le but d'obtenir de vrais résultats dans des conditions réelles.

> www.drcrisafi.com
> 5040, avenue du Parc
> Montréal, QC
> H2V 4G1 Canada

KYOLIC®

Wakunaga of America est le fabricant de l'Extrait d'ail vieilli^{MC} (EAV) de Kyo-lic®, le supplément qui a fait l'objet du plus grand nombre d'études au monde. J'ai eu le plaisir d'utiliser et de recom-mander leurs produits depuis plus de 25 ans et j'ai toujours été étonné de l'efficacité incroyable de l'EAV pour traiter un si grand nombre d'états de santé. L'Extrait d'ail vieilli^{MC} est fait d'ail de culture biologique à 100% de la Californie, où il est également vieilli et emballé.

> *États-Unis*
> www.kyolic.com
> (800) 421-2998
> Wakunaga of America Co., Ltd.
> 23501 Madero
> Mission Viejo, CA
> 92691 USA

Canada
www.kyolic.ca
(877) 265-2615
Département de marketing Kyolic®
6 Commerce Crescent
Acton, ON
L7J 2X Canada

Wakunaga of America est également le fabricant du mélange de superaliments verts *Kyo-Green* (www.kyolic.com/product/category/kyo-green) ainsi que des produits Kyo-Dophilus, les probiotiques les plus conviviaux sur le marché (www.kyolic.com/product/category/kyo-dophilus)

NATURE'S HARMONY®

Ces formules sont le fruit d'une équipe de naturopathes, de médecins, de nutritionnistes et de chimistes. Je suis l'un des professionnels de la santé qui ont participé à la formulation de ces excellents produits validés en clinique. Le fabricant fait tout en son pouvoir pour s'assurer que les ingrédients de chaque formule constituent des combinaisons uniques et qu'ils soient offerts dans la forme de livraison la plus assimilable pour le corps. Tous les produits ont fait l'objet de recherches approfondies et ont été évalués à des fins d'innocuité, d'efficacité, de puissance et de pureté.

www.naturesharmony.com

QUEST VITAMINES

C'est une des marques de produits de santé naturels de haute qualité les plus reconnues au Canada. Elle inclut une panoplie complète de formules.

www.questvitamins.com

ST. FRANCIS HERB FARM

Ce fabricant de teintures botaniques est mon préféré. Son adhésion à des principes d'éthique sans compromis et ses produits d'une qualité exceptionnelle nous livrent des résultats thérapeutiques merveilleux depuis plus de vingt ans.

www.stfrancisherbfarm.com
(800) 219-6226
2704 Dafoe Rd.
Combermere, ON
K0J 1L0 Canada

BIO-K+

Bio-K + est probablement un des produits probiotiques les mieux documentés au monde. Résultat de recherches menées par l'expert reconnu mondialement, Dr François-Marie Luquet, Bio-K + a fait l'objet d'études déterminantes à la fois au Canada et aux États-Unis.

www.biokplus.com

VEEVA

Cette compagnie a vu le jour grâce à mon ami, Alain Roy. Alain se dévoue à fournir des produits, des thérapies ainsi que des outils éducationnels pour aider à réduire le stress, à apaiser l'anxiété modérée, à améliorer le sommeil et à passer une journée remplie de joie.

www.veeva.ca

GENUINE HEALTH

Cette compagnie est le fabricant de Greens + , un des suppléments naturels ayant reçu le plus de prix d'excellence dans l'industrie. Tous les produits de Genuine Health sont de la plus haute qualité, assurant d'excellents résultats.

www.genuinehealth.com
(877) 500-7888
317 Adelaide St. West
Suite #501
Toronto, ON
M5V 1P9 Canada

Now Foods

Cette compagnie de produits de santé naturels des États-Unis s'efforce à offrir des produits et services à valeur ajoutée, afin d'aider les gens à mener une vie plus saine.

www.nowfoods.com

Prairie Naturals

Mes amis chez Prairie Naturals fabriquent des produits conçus dans le but de vous aider à «Vivre une vie saine». J'ai eu le plaisir de collaborer à la formulation de certains de leurs produits et j'ai aussi utilisé plusieurs de leurs produits dans ma propre clinique, pour lesquels j'ai obtenu d'excellents résultats.

www.prairienaturals.ca
(604) 525-4950
56 Fawcett Road
Coquitlam, C.-B.
V3K 6V5 Canada

Nature's Way

Nature's Way est chef de file en phytothérapie depuis plus de 40 ans en Amérique du Nord. Cette compagnie continue d'être le fabricant le plus avancé sur le plan technologique aux États-Unis.

États-Unis
www.naturesway.com
(800) 962-8873
3051 West Maple Loop Dr.
Suite 125
Lehi, UT
84043 USA
Canada
www.natureswaycanada.ca
(800) 665-3414
2696 Nootka Street
Vancouver, C.-B.
V5M 3M5 Canada

A. Vogel/Bioforce

A. Vogel est la création du praticien de santé naturelle, Dr Alfred Vogel. Se situant parmi les produits de santé naturels chefs de file à l'échelle mondiale, les produits botaniques Vogel sont vendus dans le monde entier.

États-Unis
www.bioforceusa.com
(800) 641-7555
Canada
www.avogel.ca
(800) 361-6320

Flora Health

Flora produit et fournit des produits à base de plantes médicinales de qualité depuis 1965. La compagnie a maintenu son engagement initial qui vise à élaborer et à offrir des remèdes à base de plantes médicinales garantissant une pureté, une qualité et une efficacité maximales tout en maintenant une approche holistique à la santé.

www.florahealth.com
États-Unis
(800) 446-2110
805 E. Badger Road
Lynden, WA
98264 USA
Canada
(888) 436-6697
7400 Fraser Park Drive
Burnaby, C.-B.
V5J 5B9 Canada

Références

___

Abbasi B, Kimiagar M, Sadeghniiat K, Shirazi MM, Hedayati M, Rashidkhani B. The effect of magnesium supplementation on primary insomnia in elderly: A double-blind placebo-controlled clinical trial. *J Res Med Sci.* 2012;17(12):1161-9.

American Psychological Association. *Stress in America: Missing the Health Care Connection.* Washington, DC: American Psychological Association;2013. http://www.apa.org/news/press/releases/stress/2012/full-report.pdf. Accessed January 3, 2014.

Ahmad MS, Ahmed N. Antiglycation properties of aged garlic extract: possible role in prevention of diabetic complications. *J Nutr.* 2006;136(3 Suppl):796S-799S.

Altura BM, Altura BT. Tension headaches and muscle tension: is there a role for magnesium?. *Med Hypotheses.* 2001;57(6):705-13.

Amagase H. Clarifying the real bioactive constituents of garlic. *J Nutr.* 2006;136(3 Suppl):716S-725S.

Anderson CA, Bushman BJ. Effects of violent video games on aggressive behavior, aggressive cognition, aggressive affect, physiological arousal, and prosocial behavior: a meta-analytic review of the scientific literature. *Psychol Sci.* 2001;12(5):353-9.

Benefits of exercise—reduces stress, anxiety, and helps fight depression, from Harvard Men's Health Watch. Harvard Health Publications Web site. http://www.health.harvard.edu/press_releases/benefits-of-exercisereduces-stress-anxiety-and-helps-fight-depression. Published February 2011. Accessed December 31, 2013.

Berridge KC, Robinson TE. What is the role of dopamine in reward: hedonic impact, reward learning, or incentive salience?. *Brain Research Reviews.* 1998 Dec;28(3):309-69.

Blodget H. American per-capita sugar consumption hits 100 pounds per year. Business Insider Web site. http://www.businessinsider.com/chart-american-sugar-consumption-2012-2. Published February 19, 2012. Accessed December 31, 2013.

Borek C. Antioxidant health effects of aged garlic extract. *J Nutr.* 2001;131(3s):1010S-5S.

Borek C. Health benefits of aged garlic extract. *Townsend Letter for Doctors & Patients.* August-Sept 2004.

Boudarene M, Legros JJ, Timsit-Berthier M. Study of the stress response: role of anxiety, cortisol and DHEAs. *Encephale.* 2002 Mar-Apr;28(2):139-46.

Brandt M. Video games activate reward regions of brain in men more than women, Stanford study finds. *EurekAlert.* http://www.eurekalert.org/pub_releases/2008-02/sumc-vga020408.php. Accessed January 3, 2014.

Braverman E. *The healing nutrients within: facts, findings, and new research on amino acids.* 3rd ed. North Bergen, NJ : Basic Health Publications; 2003.

Bremner D, Vermetten E, Kelley ME. Cortisol, dehydroepiandrosterone, and estradiol measured over 24 hours in women with childhood sexual abuse-related posttraumatic stress disorder. *J Nerv Ment Dis.* 2007;195(11):919-27.

Brenner J. Pew internet: mobile. *Pew Research Center.* http://pewinternet.org/Commentary/2012/February/Pew-Internet-Mobile.aspx. Accessed January 1, 2014.

Brunkhorst WK, Hess EL. An interaction of cortisol with components of lymphatic tissue. *Biochem Biophys Res Commun.* 1961 June 28;5(3): 238-42.

Bucci LR. *Nutrition Applied to Injury Rehabilitation and Sports Medicine.* Boca Raton, FL: CRC Press; 1994.

Budoff MJ, Ahmadi N, Gul KM, et al. Aged garlic extract supplemented with B vitamins, folic acid and L-arginine retards the progression of subclinical atherosclerosis: a randomized clinical trial. *Prev Med.* 2009;49(2-3):101-7.

Cohen S, Janicki-Deverts D, Miller GE. Psychological stress and disease. *JAMA.* 2007;298(14):1685-7.

Common Sense Media. Zero to Eight: Children's Media Use in America 2013. *Common Sense Media Web Site.* http://www.commonsensemedia.org/sites/default/files/research/zero-to-eight-2013.pdf. Accessed January 3, 2013.

Davis DR. Declining fruit and vegetable nutrient composition: what is the evidence?. *HortScience.* 2009 February;44(1):15-19.

Deans E. Magnesium and the brain: the original chill pill. *Psychology Today Web Site.* http://www.psychologytoday.com/blog/evolutionary-psychiatry/201106/magnesium-and-the-brain-the-original-chill-pill. Published June 12, 2011. Accessed December 31, 2013.

De Rouffignac C, Quamme G. Renal magnesium handling and its hormonal control. *Physiol Rev.* 1994;74(2):305-22.

De Vrese M, Winkler P, Rautenberg P, et al. Effect of Lactobacillus gasseri PA 16/8, Bifidobacterium longum SP 07/3, B. bifidum MF 20/5 on common cold episodes: a double blind, randomized, controlled trial. *Clin Nutr.* 2005;24(4):481-91.

Dinan TG, Cryan JF. Regulation of the stress response by the gut microbiota: implications for psychoneuroendocrinology. *Psychoneuroendocrinology.* 2012;37(9):1369-78.

Dingle P. Stress cycle. *NOVA: Australia's Holistic Journal Web Site.* http://www.novamagazine.com.au/article_archive/2012/2012-03-the-stress-cycle.html. Accessed December 31, 2013.

Dishman RK. Brain monoamines, exercise, and behavioral stress: animal models. *Med Sci Sports Exerc.* 1997;29(1):63-74.

Drewnowski A, Almiron-Roig, E. Human perceptions and preferences for fat-rich foods. In: Montmayeur JP, le Coutre J, eds. *Fat Detection: Taste, Texture, and Post Ingestive Effects.* Boca Raton, FL: CRC Press; 2010.

Fredricks DN. *The Human Microbiota: How Microbial Communities Affect Health and Disease.* Hoboken, NJ: Wiley-Blackwell;2013.

Ganmaa D, Sato A. The possible role of female sex hormones in milk from pregnant cows in the development of breast, ovarian and corpus uteri cancers. *Med Hypotheses.* 2005;65(6):1028-37.

Garrison SR, Allan GM, Sekhon RK, Musini VM, Khan KM. Magnesium for skeletal muscle cramps. *Cochrane Database Syst Rev.* 2012;9:CD009402.

Graci S, Crisafi D. *Les Superaliments, Une Moisson D'Energie Qui Peut Changer Votre Vie.* Montréal: Chenelière/McGraw-Hill;1998.

Guyton AC, Hall JE. *Textbook of Medical Physiology.* Philadelphia, PA: Elsevier Saunders;2006.

Gwilt PR, Lear CL, Tempero MA, et al. The effect of garlic extract on human metabolism of acetaminophen. *Cancer Epidemiol Biomarkers Prev.* 1994;3(2):155-60.

Hoffer A. *Orthomolecular Medicine for Physicians.* New Canaan, CT: Keats Pub;1989.

Holub WR. Do allergic reactions represent hypersensitivity or nutritionally deficient detoxification?. *Journal of Applied Nutrition.* 1979;31(3/4): 67-74.

Imai J, Ide N, Nagae S, Moriguchi T, Matsuura H, Itakura Y. Antioxidant and radical scavenging effects of aged garlic extract and its constituents. *Planta Med.* 1994;60(5):417-20.

Ishikawa H, Saeki T, Otani T, et al. Aged garlic extract prevents a decline of NK cell number and activity in patients with advanced cancer. *J Nutr.* 2006;136(3 Suppl):816S-820S.

Isolauri E, Salminen S. Probiotics: use in allergic disorders: a Nutrition, Allergy, Mucosal Immunology, and Intestinal Microbiota (NAMI) Research Group Report. *J Clin Gastroenterol.* 2008;42 Suppl 2:S91-6.

Itoh K, Kawasaka T, Nakamura M. The effects of high oral magnesium supplementation on blood pressure, serum lipids and related variables in apparently healthy Japanese subjects. *Br J Nutr.* 1997;78(5):737-50.

Ivarsson M, Anderson M, Åkerstedt T, Lindblad F. The effect of violent and nonviolent video games on heart rate variability, sleep, and emotions in adolescents with different violent gaming habits. *Psychosom Med.* 2013;75(4):390-6.

Jacka FN, Overland S, Stewart R, Tell GS, Bjelland I, Mykletun A. Association between magnesium intake and depression and anxiety in community-dwelling adults: the Hordaland Health Study. *Aust N Z J Psychiatry.* 2009;43(1):45-52.

Jacobs TL, Epel ES, Lin J, et al. Intensive meditation training, immune cell telomerase activity, and psychological mediators. *Psychoneuroendocrinology.* 2011;36(5):664-81.

Jacobs TL, Shaver PR, Epel ES, et al. Self-reported mindfulness and cortisol during a Shamatha meditation retreat. *Health Psychol.* 2013;32(10):1104-9.

Kasuga S, Ushijima M, Morihara N, Itakura Y, Nakata Y. [Effect of aged garlic extract (AGE) on hyperglycemia induced by immobilization stress in mice]. *Nippon Yakurigaku Zasshi.* 1999;114(3):191-7.

Kennedy MJ, Volz PA. Ecology of Candida albicans gut colonization: inhibition of Candida adhesion, colonization, and dissemination from the gastrointestinal tract by bacterial antagonism. *Infect Immun.* 1985;49(3):654-63.

Kirby ED, Muroy SE, Sun WG, et al. Acute stress enhances adult rat hippocampal neurogenesis and activation of newborn neurons via secreted astrocytic FGF2. *eLife.* 2013;2:e00362.

Kojima R, Toyama Y, Ohnishi ST. Protective effects of an aged garlic extract on doxorubicin-induced cardiotoxicity in the mouse. *Nutr Cancer.* 1994;22(2):163-73.

Kotsirilos V, Vitetta L, Sali A. *A Guide to Evidence-Based Integrative and Complementary Medicine.* Sydney, Australia: Elsevier Churchill Livingstone;2011.

Kutsky RJ. *Handbook of Vitamins, Minerals and Hormones.* 2nd ed. New York: Van Nostrand Reinhold;1981.

Langewitz W, Rüddel H, Schächinger H. Reduced parasympathetic cardiac control in patients with hypertension at rest and under mental stress. *Am Heart J.* 1994;127(1):122-8.

Larijani VN, Ahmadi N, Zeb I, Khan F, Flores F, Budoff M. Beneficial effects of aged garlic extract and coenzyme Q10 on vascular elasticity and endothelial function: the FAITH randomized clinical trial. *Nutrition.* 2013;29(1):71-5.

Liska DJ. The detoxification enzyme systems. *Altern Med Rev.* 1998;3(3):187-98.

Liu L, Yeh YY. S-alk(en)yl cysteines of garlic inhibit cholesterol synthesis by deactivating HMG-CoA reductase in cultured rat hepatocytes. *J Nutr.* 2002;132(6):1129-34.

Loomis D, Grosse Y, Lauby-Secretan B, et al. The carcinogenicity of outdoor air pollution. *The Lancet Oncology.* 2013;14(13):1262-1263.

Maldonado PD, Alvarez-idaboy JR, Aguilar-gonzález A, et al. Role of allyl group in the hydroxyl and peroxyl radical scavenging activity of S-allylcysteine. *J Phys Chem B.* 2011;115(45):13408-17.

Mauskop A, Altura BM. Role of magnesium in the pathogenesis and treatment of migraines. *Clin Neurosci.* 1998;5(1):24-7.

Mayo Foundation. Fibromyalgia. *Mayo Clinic Web Site.* http://www.mayoclinic.com/health/fibromyalgia/DS00079. Accessed January 3, 2014.

McEwen BS. Protection and damage from acute and chronic stress: allostasis and allostatic overload and relevance to the pathophysiology of psychiatric disorders. *Ann N Y Acad Sci.* 2004;1032:1-7.

Moorkens G, Manuel y keenoy B, Vertommen J, Meludu S, Noe M, De leeuw I. Magnesium deficit in a sample of the Belgian population presenting with chronic fatigue. *Magnes Res.* 1997;10(4):329-37.

Muller MD, Sauder CL, Ray CA. Mental stress elicits sustained and reproducible increases in skin sympathetic nerve activity. *Physiol Rep.* 2013;1(1).

Myers J. Exercise and cardiovascular health. *Circulation.* 107(1):2e-5.

Nantz MP, Rowe CA, Muller CE, Creasy RA, Stanilka JM, Percival SS. Supplementation with aged garlic extract improves both NK and γδ-T cell function and reduces the severity of cold and flu symptoms: a randomized, double-blind, placebo-controlled nutrition intervention. Clin Nutr. 2012;31(3):337-44.

National Institute of Arthritis and Musculoskeletal and Skin Diseases. NIH osteoporosis and related bone diseases national resource center. *National Institute of Health.* http://www.niams.nih.gov/Health_Info/Bone/. Accessed January 3, 2014.

Ninan PT. The functional anatomy, neurochemistry, and pharmacology of anxiety. *J Clin Psychiatry.* 1999;60 Suppl 22:12-7.

Nishino H, Iwashima A, Itakura Y, Matsuura H, Fuwa T. Antitumor-promoting activity of garlic extracts. *Oncology.* 1989;46(4):277-80.

Nussey S, Whitehead SA. *Endocrinology: An Integrated Approach.* Oxford: BIOS;2001.

O'Keefe JH, Patil HR, Lavie CJ, Magalski A, Vogel RA, Mccullough PA. Potential adverse cardiovascular effects from excessive endurance exercise. *Mayo Clin Proc.* 2012;87(6):587-95.

Olpin M, Hesson M. *Stress Management for Life: A Research-Based Experiential Approach.* 3rd ed. Belmont, CA: Wadsworth, Cengage Learning;2013.

Paffenbarger RS, Hyde RT, Wing AL, Lee IM, Jung DL, Kampert JB. The association of changes in physical-activity level and other lifestyle characteristics with mortality among men. *N Engl J Med.* 1993;328(8):538-45.

Pappas S. No more FOFO: fear of missing out linked to dissatisfaction. *LiveScience.* http://www.livescience.com/31985-fear-missing-out-dissatisfaction.html. Accessed January 3, 2014.

Pelton R, LaValle JB, Hawkins EB. *Drug-Induced Nutrient Depletion Handbook.* 2nd ed. Hudson, OH: Lexi-Comp;2001.

Pfeiffer CC. *Mental and Elemental Nutrients.* New Canaan, CT: Keats Pub;1975.

Ploceniak C. [Bruxism and magnesium, my clinical experiences since 1980]. *Rev Stomatol Chir Maxillofac.* 1990;91 Suppl 1:127.

Punia S, Das M, Behari M, et al. Leads from xenobiotic metabolism genes for Parkinson's disease among north Indians. *Pharmacogenet Genomics.* 2011;21(12):790-7.

Quamme GA. Renal magnesium handling: new insights in understanding old problems. *Kidney Int.* 1997;52(5):1180-95.

Remer T, Manz F. Potential renal acid load of foods and its influence on urine pH. *J Am Diet Assoc.* 1995;95(7):791-7.

Ried K, Frank OR, Stocks NP. Aged garlic extract reduces blood pressure in hypertensives: a dose-response trial. *Eur J Clin Nutr.* 2013;67(1):64-70.

Rodger S. The 5 Pillars of Life: *Reclaiming Ownership of Your Mind, Body, and Future.* Ottawa, Canada: Core Systems Press;2005.

Rosanoff A, Seelig MS. Comparison of mechanism and functional effects of magnesium and statin pharmaceuticals. *J Am Coll Nutr.* 2004;23(5):501S-505S.

Rude RK, Singer FR, Gruber HE. Skeletal and hormonal effects of magnesium deficiency. *J Am Coll Nutr.* 2009;28(2):131-41.

Sartin JL, Kemppainen RJ, Coleman ES, Steele B, Williams JC. Cortisol inhibition of growth hormone-releasing hormone-stimulated growth hormone release from cultured sheep pituitary cells. *J Endocrinol.* 1994;141(3):517-25.

Sartori SB, Whittle N, Hetzenauer A, Singewald N. Magnesium deficiency induces anxiety and HPA axis dysregulation: modulation by therapeutic drug treatment. *Neuropharmacology.* 2012;62(1):304-12.

Sebastian A, Frassetto LA, Sellmeyer DE, Merriam RL, Morris RC. Estimation of the net acid load of the diet of ancestral preagricultural Homo sapiens and their hominid ancestors. *Am J Clin Nutr.* 2002;76(6):1308-16.

Serefko A, Szopa A, Wla P, et al. Magnesium in depression. *Pharmacol Rep.* 2013;65(3):547-54.

Song WJ, Chang YS. Magnesium sulfate for acute asthma in adults: a systematic literature review. *Asia Pac Allergy.* 2012;2(1):76-85.

Spasiov AA, Iezhitsa IN, Kharitonova MV, Kravchenko MS. [Pharmacological correction of pain sensitivity threshold in magnesium deficiency]. *Patol Fiziol Eksp Ter.* 2010;(1):6-10.

Steiner M, Li W. Aged garlic extract, a modulator of cardiovascular risk factors: a dose-finding study on the effects of AGE on platelet functions. *J Nutr.* 2001;131(3s):980S-4S.

Steventon GB, Heafield MT, Waring RH, Williams AC. Xenobiotic metabolism in Parkinson's disease. *Neurology.* 1989;39(7):883-7.

Steventon GB, Heafield MT, Sturman S, Waring RH, Williams AC. Xenobiotic metabolism in Alzheimer's disease. *Neurology.* 1990;40(7):1095-8.

Stewart PM, Toogood AA, Tomlinson JW. Growth hormone, insulin-like growth factor-I and the cortisol-cortisone shuttle. *Horm Res.* 2001;56 Suppl 1:1-6.

Stratakis CA. Cortisol and growth hormone: clinical implications of a complex, dynamic relationship. *Pediatr Endocrinol Rev.* 2006;3 Suppl 2:333-8.

Tanaka S, Haruma K, Kunihiro M, et al. Effects of aged garlic extract (AGE) on colorectal adenomas: a double-blinded study. *Hiroshima J Med Sci.* 2004;53(3-4):39-45.

Tang WH, Wang Z, Levison BS, et al. Intestinal microbial metabolism of phosphatidylcholine and cardiovascular risk. *N Engl J Med.* 2013;368(17):1575-84.

Time Inc. Your wireless life: results of Time's mobility poll. *Time.* http://content.time.com/time/interactive/0,31813,2122187,00.html. Accessed January 1, 2014.

Woodruff TJ, Zota AR, Schwartz JM. Environmental chemicals in pregnant women in the United States: NHANES 2003-2004. *Environ Health Perspect.* 2011;119(6):878-85.

Tudor-locke C, Bassett DR. How many steps/day are enough? Preliminary pedometer indices for public health. *Sports Med.* 2004;34(1):1-8.

Ushijima M, Sumioka I, Kakimoto M, et al. Effect of garlic and garlic preparations on physiological and psychological stress. *Phytother Res.* 1997;11(3):226–230.

Velichkovskiĭ BT. [Allergic diseases. Analysis of the causes of their increase]. *Vestn Akad Med Nauk SSSR*. 1991;(1):28-33.

Vrieze A, Holleman F, Zoetendal EG, De vos WM, Hoekstra JB, Nieuwdorp M. The environment within: how gut microbiota may influence metabolism and body composition. *Diabetologia*. 2010;53(4):606-13.

Werbach M, Moss J. *Textbook of Nutritional Medicine*. Tarzana, CA: Third Line Press;1999.

Wilson J. *Adrenal Fatigue: The 21st Century Stress Syndrome*. Petaluma, CA: Smart Publications;2001.

Wirth MM, Meier EA, Fredrickson BL, Schultheiss OC. Relationship between salivary cortisol and progesterone levels in humans. *Biol Psychol*. 2007;74(1):104-7.

Woodruff TJ, Zota AR, Schwartz JM. Environmental chemicals in pregnant women in the United States: NHANES 2003-2004. *Environ Health Perspect*. 2011;119(6):878-85.

World Health Organization, Food and Agriculture Organization of the United Nations. *Vitamin and Mineral Requirements in Human Nutrition*. 2nd ed. Geneva, Switzerland: World Health Organization;2005.

Zava DT, Blen M, Duwe G. Estrogenic activity of natural and synthetic estrogens in human breast cancer cells in culture. *Environ Health Perspect*. 1997;105 Suppl 3:637-45.

Zeb I, Ahmadi N, Nasir K, et al. Aged garlic extract and coenzyme Q10 have favorable effect on inflammatory markers and coronary atherosclerosis progression: a randomized clinical trial. *J Cardiovasc Dis Res*. 2012;3(3):185-90.

Index

À propos de l'auteur

———————

DANIEL CRISAFI, ND, PhD

NATIF DE MONTRÉAL, Daniel y a passé son enfance et a par la suite complété des études universitaires et postuniversitaires aux États-Unis. Il détient un doctorat en biochimie nutritionnelle, de même qu'un diplôme de maître herboriste.

Dr Crisafi est membre du comité consultatif du *Canadian Council of Continuing Education for Pharmacists* pour le programme académique "Puissance des plantes". Il a siégé à titre de vice-président et de président du conseil d'administration de *l'École d'Enseignement supérieur de Naturopathie du Québec* et est ancien membre du comité consultatif de l'Université des Sciences de l'Homme de Paris. Dr Crisafi a également siégé comme vice-président du conseil d'administration de l'Association canadienne des aliments de santé (ACAS). L'ACAS a intronisé Dr Crisafi au Temple de la renommée en 2004.

Dr Crisafi est auteur du premier livre canadien sur la candidose (*Candida Albicans-EdiForma*), écrit en 1987. Avec Sam Graci, il est coauteur du livre intitulé *Les Superaliments (Chenelière McGraw-Hill)*. Il a aussi contribué un chapitre au livre de Brad King et de Dr Michael Schmidt, intitulé *"Bio-Age: 10 Steps to a Younger You"*. Consultant pour l'industrie des suppléments naturels et de l'alimentation santé depuis plus de 25 ans, Dr Crisafi mène actuellement des recherches postdoctorales sur l'impact biochimique et physiologique du stress. Son cabinet privé, pH Santé Beauté, a pignon sur rue à Montréal, Québec.